MATISSE

MATISSE

par Gérard Durozoi

HAZAN

© Fernand Hazan, Paris 1989
Droits réservés
© SPADEM et Succession Matisse 1989

Conception graphique
Anne Anquetil

Coordination
Patricia Marchal

Achevé d'imprimer en 1992
par Milanostampa, Farigliano
Printed in Italy

ISBN 2-85025-194-1

Matisse, c'est la trajectoire idéale : il commence avec une peinture de vieux, il finit avec une peinture de jeune.

Pierre Alechinsky

UNE DÉCOUVERTE TARDIVE DE LA PEINTURE

La carrière de Matisse contredit la mythologie romantique de l'artiste qui, découvrant très tôt sa vocation, commence par être « maudit » avant de conquérir une notoriété bien méritée mais plus ou moins posthume... Rien de tel dans le cas de ce peintre qui, né en 1869 dans une famille de petite bourgeoisie, passe son enfance près de Saint-Quentin, fait des études sans relief particulier, puis obtient à Paris sa Capacité en Droit sans même visiter les musées de la capitale. Ce n'est qu'à vingt ans qu'il s'initie au dessin, alors qu'il est revenu à Saint-Quentin comme clerc d'avoué, et découvre les pastels de Quentin-Latour. Et c'est seulement l'année suivante, au cours d'une convalescence, qu'il révèle ses capacités en copiant les chromos accompagnant une boîte de couleurs que lui a offerte sa mère.

Mais il s'agit alors d'une véritable conversion : Matisse a brutalement le sentiment d'avoir trouvé sa « vraie voie » et d'abandonner un « horizon bouché »[1]. Il lui faut donc apprendre un nouveau métier — ce pourquoi il repart, malgré la méfiance de son père, à Paris où, délaissant l'enseignement académique des peintres officiels de l'époque, il ne se sent à l'aise que dans l'atelier libre d'un Gustave Moreau qui, capable d'apprécier aussi bien Lautrec que Véronèse et peu soucieux de préparer ses élèves au Salon[2], préfère les envoyer régulièrement au Louvre copier les toiles anciennes.

Ces années d'apprentissage révèlent un désir d'acquérir rapidement la maîtrise de la peinture : aux copies succèdent la découverte du plein air, la méditation de l'impressionnisme et de Cézanne, qui restera pour Matisse un exemple durable (« Cézanne est notre maître à tous »). Mais elles autorisent aussi des rencontres (Marquet, Manguin, Rodin, Pissarro, Derain), l'accès, dès 1896, au Salon, et surtout la découverte, deux ans plus tard, de la lumière méditerranéenne : « C'est à Ajaccio que j'ai eu mon grand émerveillement pour le Sud[3]. » Pour mettre la peinture à la hauteur de cet éblouissement, il pousse déjà les tons à leur intensité maximale, et délaisse le jeu des valeurs, dont il avait appris la subtilité dans les salles du Louvre...

APRÈS LES BEAUX-ARTS

L'abandon des Beaux-Arts en 1900, après la mort de Gustave Moreau, est sanctionné par la fin de la pension que son père versait à Matisse. Celui-ci a bien vendu quelques copies à l'État, mais, pour faire vivre sa famille, il participe avec Marquet à la décoration du Grand Palais pour l'Exposition universelle. Le soir, il suit des cours de modelage ; il va pendant deux ans travailler à une interprétation du *Jaguar dévorant un lièvre* de Barye, et commence à élaborer *le Serf*, académie masculine qui suggère par sa surface bosselée un dynamisme dont risquerait de manquer un corps statique traité de façon plus calme. Désormais, la sculpture constituera une sorte de substitut périodique à la peinture : « Si la recherche est la même, quand je me fatigue d'un moyen, alors je me tourne vers l'autre...

Matisse lors
de son mariage, 1898.

Pour exprimer la forme, je me livre parfois à la sculpture, qui me permet, au lieu d'être placé devant une surface plane, de tourner autour de l'objet et de le mieux connaître[3]. » Rien n'indique d'ailleurs mieux cette complémentarité des deux approches que la fréquente représentation que donnera Matisse de ses propres sculptures — au même titre que de ses tableaux — dans sa peinture.

Le travail acharné qu'il poursuit ainsi dans des directions parfois contradictoires (il copie toujours au Louvre) se traduit, à partir de 1901, et bien que sa situation financière reste préoccupante, par une série d'expositions qui commencent à faire remarquer sa signature : il participe au premier Salon des Indépendants présidé par Paul Signac et, en 1902, à une exposition de groupe des anciens de l'atelier Moreau chez Berthe Weill, qui réalise sa première vente en galerie[4].

En 1903, il expose à nouveau aux Indépendants, mais aussi au premier Salon d'automne, où est présentée une rétrospective posthume de Gauguin, qu'il commence à mieux apprécier. C'est l'année où il aborde la gravure (eaux-fortes et pointes sèches).

Après sa première exposition personnelle chez Vollard (45 toiles et un dessin — de 1897 à 1903 — préface de Roger Marx), Signac l'invite à passer l'été dans sa villa de Saint-Tropez. De retour à Paris à l'automne, il apprend l'achat, par la Direction des Beaux-Arts, de sa copie du *Balthazar Castiglione* de Raphaël, alors qu'il élabore *Luxe, Calme et Volupté* (pl. 5) où il s'efforce d'appliquer fidèlement les théories divisionnistes.

Au Salon d'automne de 1904, où est organisé un hommage à Cézanne, il montre 13 toiles. Tout se passe donc en ces quelques années comme si la simultanéité de tentations contradictoires (le Louvre et la recherche, l'œuvre personnelle et la théorie étrangère, Cézanne et le post-impressionnisme) le contraignait à choisir.

1905 : LA « CAGE AUX FAUVES »

Ce « choix », ou, si l'on préfère, le grand saut, différé depuis 1898 par la nécessité d'en savoir toujours plus et d'éprouver personnellement que certaines « solutions » sont pour lui des impasses, a lieu au cours de l'été 1905, que Matisse passe à Collioure en compagnie de Derain. Il rencontre Maillol à Banyuls (mais se trouve en désaccord tacite avec sa conception de la sculpture) et surtout Daniel de Monfreid, qui lui montre ses Gauguin et lui permet de mieux saisir ce qui est en jeu dans une œuvre dont il a lui-même déduit pour sa propre peinture, dès 1890-91, un certain nombre de principes (couleurs lumineuses et organisation du fond en surfaces tranchées) et où Matisse trouve confirmation de la stérilité du divisionnisme. Quant aux recherches personnelles, on en trouve l'écho dans les lettres que Derain envoie à l'époque à Vlaminck : « Il m'a montré des photos de ses toiles ; c'est tout à fait épatant. Je crois qu'il franchit la porte du septième jardin, celui du bonheur. » « Il subit une crise, en ce moment, à propos de peinture. Mais, d'un autre côté, c'est un type beaucoup plus extraordinaire que je ne l'aurais cru, au point de vue logique et spéculations psychologiques[5]. » La « crise » évoquée par Derain, c'est sans doute l'obligation où se trouve alors Matisse de renoncer à tout garde-fou, à tout modèle consacré (y compris d'avant-garde) pour suivre exclusivement ce qu'il nomme son « sentiment », son « émotion », la relation qui s'établit entre l'artiste et le modèle et qu'il s'agit de restituer par les moyens exclusifs de la peinture. Qu'il y ait, pour une telle opération de restitution du « sentiment », une « logique » à trouver, c'est ce dont Matisse est bien persuadé, lui qui vient d'expérimenter les logiques picturales (cézannienne, post-impressionniste, divisionniste) des autres. Cette logique, c'est celle qui aboutit à la *Femme au chapeau* (pl. 6), à la *Raie verte* (deux portraits de Mme Matisse) et au

Le Serf, bronze, 1900-1903, hauteur 92 cm.

Portrait de Derain, trois toiles exécutées à Collioure, et qui manifestent, aux yeux de Matisse, l'aboutissement normal de sa démarche, mais qui vont participer, au Salon d'automne, au scandale du « fauvisme ».

Regroupés dans la salle 7, les envois de Matisse, Derain, O. Friesz, Manguin, Marquet, Puy, Rouault, Valtat et Vlaminck semblent, pour le public et la critique, participer d'une commune provocation : la franchise de leurs couleurs, le schématisme de ce qui y demeure en fait de dessin (alors que c'est toujours sur son dessin qu'on juge une œuvre, du point de vue du savoir-faire académique) paraissent inacceptables. *L'Illustration* du 1er novembre rassemble sur une même page reproductions et commentaires signés Gustave Geffroy et Louis Vauxcelles (premier responsable de l'étiquette « fauves », qui affirme néanmoins que « M. Matisse est l'un des plus robustement doués des peintres d'aujourd'hui ») : il s'y confirme que Matisse « s'est égaré comme d'autres en excentricités coloriées dont il reviendra de lui-même sans aucun doute », et que « le souci de la forme souffre » dans les « recherches passionnées » où il « préfère s'enfoncer[6] ». Déçu par un tel accueil, Matisse, qui ne cherchait aucunement le scandale, écrit à Signac : « C'était la première fois de ma vie que j'étais content d'exposer, car mes choses ne sont peut-être pas très importantes, mais elles ont le mérite d'exprimer de façon très pure mes sensations[7]. » Sans doute est-ce précisément cette « pureté », cette absence de « civilité » (fauve = sauvage), qui fait choc. Peut-être suffit-il pour situer cette violence dans son contexte, de se remémorer l'ameublement des appartements de l'époque — puisqu'un tableau est aussi fait pour être accroché sur un mur, et que les toiles que présente Matisse dans la célèbre « Cage aux Fauves » sont bien de formats accrochables. Il apparaît clairement que ce type de peinture est rigoureusement incompatible avec la surcharge de meubles, de bibelots, de tentures sous lesquels étouffent les logements fin de siècle — mais aussi avec le « modern style » tout en volutes florales et arabesques décoratives qui ne séduit encore que quelques esprits « avancés ». Dans de tels contextes, une toile impressionniste — dans la mesure où le public commençait à en discerner le motif — tranche sans doute, mais de façon relativement douce et euphorisante. Au contraire, *la Raie verte* ou la *Fenêtre à Collioure* suscitent une disharmonie irréductible et témoignent d'un refus des conventions beaucoup plus franc et agressif. C'est que, confiera Matisse à Tériade trente ans plus tard, le point de départ du fauvisme, c'est « des beaux bleus, des beaux rouges, des beaux jaunes, des matières qui remuent le fond sensuel des hommes[8] » : remuer le « fond sensuel des hommes », c'est recentrer la peinture sur une relation plus fondamentalement sensible ou sensuelle que ce qui avait été tenté jusqu'alors — y compris par l'impressionnisme pour lequel le sensible se limitait au visuel, et restait synonyme de sensation fugace, alors que la « sensualité » matissienne est à la fois plus synthétique et plus durable, parce qu'obtenue par un travail obstiné d'imprégnation progressive du motif, sur lequel Matisse ne se lassera pas d'insister.

On comprend que la radicalité d'une telle démarche ait pu frapper les contemporains — dont un Marcel Duchamp, dans l'œuvre duquel on relèverait difficilement une « influence » matissienne[9] — et faire de Matisse le presque officiel « chef de file » du fauvisme, alors même qu'il soulignera que ce dernier ne dut son apparence d'école qu'aux hasards de l'accrochage de 1905 (les peintres qui y sont rassemblés avaient d'ailleurs déjà exposé, individuellement, sans provoquer de tels remous) et que, « plus tard, chacun renia, selon sa personnalité, la partie du Fauvisme qu'il trouvait excessive, en sorte de suivre son propre chemin[10] ». De son point de vue, comme le montrera l'évolution de son travail, il ne saurait être question de se laisser enfermer dans une prétendue théorie

« fauve », et Matisse ne retiendra de cette période[11] que ce qui l'aidera à faire progresser sa pratique picturale. Très vite, ce qui le distingue des autres « fauves » se manifeste : alors que ces derniers cèdent aux pouvoirs expressifs immédiats de la couleur (ce qui sera aussi la tendance de l'expressionnisme allemand), Matisse entreprend au contraire d'étudier la couleur du point de vue des rapports qu'elle génère ; il sait parfaitement que ce qui construit la toile est, non pas la surface isolée, mais l'ensemble des accords colorés : si un premier accord de rouge et de vert « fonctionne », l'introduction d'un bleu le perturbe et demande un rééquilibrage qui, au cours de la réalisation d'une peinture, doit gagner de proche en proche — jouant également sur les formes et leur importance — la totalité de la surface. Au terme de tels calculs, la couleur peut apparaître totalement indépendante de tout souci de représentation réaliste et du motif initial : c'est à ce prix que s'affirme précisément l'autonomie de la peinture, son existence « pure », libérée de ce qui lui servit originellement de prétexte.

EFFETS BÉNÉFIQUES D'UN SCANDALE

Le scandale de 1905 surprend Matisse et le déçoit : quelques mauvaises langues affirment même qu'il n'ose entrer dans la « Cage aux Fauves » tant y fusent les quolibets du public à l'encontre de sa *Femme au chapeau*. C'est pourtant cette toile qu'achètent Michael et Sarah Stein : Léo Stein aurait affirmé qu'il ne s'agissait que d'un « vilain barbouillage », mais il voudra précisément la conserver pour comprendre ce qui la rend fascinante... Ainsi introduit dans l'entourage de Gertrude Stein, dont l'appartement de la rue de Fleurus voit défiler tout ce que Paris compte d'intellectuels et d'artistes avancés, Matisse va bénéficier d'une notoriété qui ira en s'amplifiant

Matisse et *le Serf*, vers 1905.

jusqu'à la Première Guerre mondiale, à la veille de laquelle il passe pour le peintre le plus important de l'École de Paris.

Dès 1906, la galerie Druet lui organise une exposition personnelle (55 toiles) qui remporte un certain succès. Cette année-là, il ne montre qu'une seule œuvre aux Indépendants : *la Joie de vivre* (pl. 9), qui fait à nouveau scandale, mais est immédiatement acquise par Léo Stein (c'est vraisemblablement en guise de « réponse » à cette *Joie de vivre* que Picasso concevra *les Demoiselles d'Avignon* au cours de l'hiver suivant). Matisse effectue alors son premier voyage, d'une quinzaine de jours, en Algérie, s'y montre indifférent, sinon hostile, à tout exotisme (« Les fameuses Ouled-Naïls, quelle blague ! On a vu cent fois mieux à l'Exposition[12] »), et n'en ramène qu'un petit vase de poterie populaire — trop heureux de se retrouver à Collioure où il passe l'été. C'est là qu'il exécute le *Nu bleu (souvenir de Biskra)* (pl. 10) qu'il expose l'année suivante aux Indépendants. Chez Gertrude Stein il a fait la connaissance de Picasso : on ne peut rencontrer deux caractères plus opposés. Si Matisse est volontiers enclin à disserter sur la peinture, Picasso, qui est son cadet de douze ans mais dont la carrière picturale est plus longue, est taciturne. À l'élégance de l'un, que soulignent tous les témoins[13], s'oppose le dandysme plus bohème de l'autre. Si Matisse ne manque pas d'amis authentiques, il n'a pas le goût d'être entouré d'une « bande » comparable à celle de la rue Ravignan. Entre les deux peintres existera cependant une complicité profonde, chacun comprenant la valeur de l'autre et y trouvant le seul rival sérieux, ce qui implique bien une réciproque reconnaissance : « Matisse savait que Picasso était Picasso autant que celui-ci savait que Matisse était Matisse » (Jean Cassou[14]). À leur propos, par-delà les déceptions ou les tensions passagères (notamment lorsque le cubisme devient la version dominante de l'avant-garde et que la « bande à Picasso », de

Salmon à Cocteau, croit bien faire en attaquant Matisse), il faudrait évoquer ce que Nietzsche nommait, à propos des grandes pensées qui se font signe et se répondent à travers l'histoire malgré leurs apparentes divergences, une *amitié stellaire*.

Matisse se rend pour la première fois en Italie en 1907 : il s'y passionne pour les Primitifs, mais guère pour la Renaissance d'un Michel-Ange ou d'un Vinci, qu'il interprète comme une « décadence ». Il séjourne à nouveau à Collioure, expose la première version du *Luxe* (pl. 12) au Salon d'automne. À la fin de l'année, Apollinaire, qui paraît plus sensible aux compositions comme *la Joie de vivre* ou *le Luxe* qu'au fauvisme pur, lui consacre un article-entretien dans *la Phalange* : pour lui, l'art « raisonnable » de Matisse combine « les qualités les plus tendres de la France : la force de sa simplicité et la douceur de ses clartés ». Cet accent sur le caractère « national » de sa peinture se retrouvera notamment chez Aragon.

À l'instigation de Sarah Stein et Hans Purrmann, Matisse ouvre en 1907 une « académie » qui aura ses locaux rue de Sèvres, puis boulevard des Invalides, et où vont affluer nombre de jeunes artistes, en particulier allemands (« l'académie Matisse, la plus grande école fauve, fut le berceau de la cosmopolite École de Paris », écrira Salmon). Mais il l'abandonnera au bout de deux ans, constatant qu'elle lui prend un temps qui risque de faire défaut à son propre travail : « J'avais refusé toute rétribution pour mes corrections, ne voulant pas être pris par l'intérêt dès que je verrais quelques raisons pour cesser[15]. » Cette expérience confirme néanmoins le côté « pédagogique » du génie matissien, dont on peut constater le sérieux et le libéralisme grâce aux notes prises par Sarah Stein, et qui s'inscrit dans une volonté constante d'expliciter les intentions de sa peinture : ses textes et les entretiens qu'il accorde montrent qu'il s'agit pour lui, non de théoriser *a priori*, mais bien plutôt de tirer les leçons des avancées successives de son travail. Chez Matisse, la théorie est d'abord *dans* la peinture qui, au moment de sa réalisation, se trouve toujours en avance sur les « idées ». C'est notamment ce que prouvent ses *Notes d'un Peintre*, publiées par *la Grande Revue* dans son numéro du 25 décembre 1908 : rapidement traduites en allemand et en russe, elles renforcent par ailleurs sa notoriété internationale (au cours de l'année 1908 se sont tenues des expositions à New York, chez Stieglitz, et à Berlin chez Cassirer, mais cette dernière est un échec).

UN « ART D'ÉQUILIBRE »

Le texte propose des formules qui seront souvent mal accueillies. Ainsi, la célèbre déclaration : « Ce que je rêve, c'est un art d'équilibre, de pureté, de tranquillité, sans sujet inquiétant ou préoccupant, qui soit pour tout travailleur cérébral, pour l'homme d'affaires aussi bien que pour l'artiste des lettres, par exemple, un lénifiant, un calmant cérébral, quelque chose d'analogue à un bon fauteuil qui le délasse de ses fatigues physiques[16] » — credo que Matisse confirmera jusqu'à la fin de sa carrière, déclarant par exemple à Georges Charbonnier : « Mon rôle est de donner de l'apaisement[16] » et, en 1954, qu'il a choisi « de garder par devers (lui) tourments et inquiétudes pour ne transcrire que la beauté du monde et la joie de peindre[17] », et dont on a pu admettre qu'il révélait un assagissement (sinon embourgeoisement) de sa peinture, désormais vouée à un charme facile et superficiel, à un simple « divertissement » incapable de profondeur (qui se trouverait notamment illustré par les *Odalisques* ultérieures, pour peu qu'on les regarde trop hâtivement). Outre qu'une telle lecture est contredite par les toiles que Matisse va réaliser dans les années suivantes — certaines comptant parmi les sommets de l'art du siècle (*la Danse* de

1909, *l'Atelier rouge* et *l'Intérieur aux aubergines* de 1911, le *Portrait de Madame Matisse* de 1912-13, la *Porte-Fenêtre à Collioure* de 1914, etc., pl. 15 à 27), on doit admettre qu'elle est également incompatible avec d'autres passages des *Notes d'un Peintre*, où est fortement affirmée la portée épiphanique de la peinture : sous les apparences changeantes des choses, « on peut rechercher un caractère plus vrai, plus essentiel, auquel l'artiste s'attachera pour donner de la réalité une interprétation plus durable[18] ». Matisse y prend évidemment ses distances avec l'impressionnisme (ainsi qu'avec le caractère déliquescent de la peinture modern style) ; mais, en 1908, il tient aussi à marquer ce qui le sépare d'un cubisme dont on commence à beaucoup parler : « Les gens qui font du style de parti pris et s'écartent volontairement de la nature sont à côté de la vérité[19] ». L'« art d'équilibre.... analogue à un bon fauteuil » doit donc être plutôt compris comme l'antithèse du « style de parti pris » : la formule n'est sans doute pas très heureuse (séparée du contexte, elle ne semble programmer qu'une peinture en effet inacceptable), mais elle résume en fait la plus haute ambition — faire d'un tableau la transposition de la présence sensible des choses, un mode d'accès à la vérité du monde telle qu'elle provoque notre « sensualité ».

Ces *Notes d'un Peintre* sont présentées dans *la Grande Revue* par un petit texte de George Desvallières qui en justifie la publication par les débats (« mépris, colère ou admiration ») que suscite alors une œuvre dont il est vrai que les amateurs français restent rares — à l'exception d'un Marcel Sembat ou d'un André Level qui, entre 1904 et 1914, acquiert dix toiles pour l'association de collectionneurs « la Peau de l'Ours », bientôt d'un Jacques Doucet, qui n'achètera pourtant *Poissons rouges et palette* (pl. 28) qu'en raison de l'insistance de ses conseillers Louis Aragon et André Breton[20]. Mais Matisse bénéficie en revanche du soutien des Stein et de quelques collectionneurs américains, du Russe Chtchoukine, dont il a fait la connaissance chez G. Stein en 1906 et qui, après l'achat de nombreuses toiles dont *la Desserte rouge* (pl. 13), lui commande *la Musique* et *la Danse* pour décorer son immense appartement de Moscou, ou d'Ivan Morosov, que Chtchoukine amène à l'atelier en 1908 et qui, de goût initialement plus traditionnel que son compatriote[21], sera le principal acquéreur des tableaux « marocains » (exposés en 1913 à la galerie Bernheim-Jeune). Achats et commandes garantissent ainsi une certaine aisance, que vient confirmer la signature, en 1909, d'un contrat avec la galerie Bernheim-Jeune, où Matisse est introduit par le critique Félix Fénéon. Il est notable que, dès ce premier contrat (pour l'ensemble de la production), les prix de Matisse sont bien supérieurs à ceux qu'obtient par exemple Derain, trois ans plus tard, de Kahnweiler : un format 50 figure (116 × 89 cm) est payé 1875 francs au premier, mais seulement 500 francs au second[22]. Pour Matisse, ces prix restent inchangés en 1912, mais le troisième contrat, du 19 octobre 1917, indique une nette augmentation : 4500 francs pour un 50 figure. Il en ira de même en 1920

Odalisque à la culotte bayadère, 1925. Lithographie. Bibliothèque Nationale, cabinet des estampes.

(7 000 francs) et en 1923 (11 000 francs) alors que, depuis 1917, Matisse n'est tenu à livrer que la moitié de sa production. Même si la hausse générale du coût de la vie explique partiellement de telles réestimations périodiques[23], celles-ci attestent cependant que Matisse apparaît désormais, pour les marchands et collectionneurs, comme une « valeur sûre ». Le 2 mars 1914, la vente, à l'Hôtel Drouot, des œuvres rassemblées par « la Peau de l'Ours », confirme d'ailleurs que la peinture d'artistes vivants peut être un placement rentable (ce qui est encore assez nouveau à l'époque) : les dix toiles de Matisse s'échelonnent de 600 (*Effet de neige*, 27 × 34 cm) à 5000 francs (*Compotier de pommes et d'oranges*, 46 × 56 cm). Ce dernier prix dépasse — généralement d'assez loin — ceux atteints par tous les autres artistes proposés (qui ne sont pas négligeables : Bonnard, Maurice Denis, Derain, Marquet, Dufy, Maillol, Sérusier...) à l'exception de Picasso, qui atteint 11 500 francs et 5200 francs, mais pour des œuvres de dimensions importantes (*les Bateleurs*, toile, 225 × 235 cm, et *les Trois Hollandaises*, gouache sur carton, 77 × 67 cm), en sorte que Matisse est bien le

peintre le plus cher, puisqu'il vaut entre 60 et 500 francs le point, contre 45 à 400 francs le point pour Picasso...

LES VOYAGES, LE MAROC

Désormais assuré de revenus réguliers, Matisse loue, à la suite de la commande de Chtchoukine (il a besoin, pour la mener à bien, d'un grand atelier), une maison à Issy-les-Moulineaux, « à dix minutes de chemin de fer (54 trains par jour) de la gare Montparnasse » : bâtisse carrée à deux étages, entourée d'un vaste jardin à deux bassins. Il y a une salle de bains et une serre, que la famille apprécie à égalité, et le bois de Clamart tout proche permet des randonnées équestres. Trois ans plus tard, il en fera l'acquisition, et y travaillera régulièrement entre ses voyages qui se font de plus en plus fréquents.

C'est ainsi que, entre 1910 et 1914, il se rend à Munich (il y visite avec Marquet une exposition d'art islamique qui confirme son goût pour un certain Orient, découvert dès 1903 au musée des Arts décoratifs, et en ramène toute une documentation photographique), en Espagne (mi-novembre 1910-janvier 1911), à Moscou (1911, pour contrôler la mise en place de ses toiles chez Chtchoukine, mais il y fait la découverte de la richesse colorée des icônes byzantines : nouvelle version de l'Orient), au Maroc (en 1911 et 1912). En 1914, ne pouvant être mobilisé (Marcel Sembat, ministre de la Guerre, aurait répondu à Matisse et Marquet, inquiets de savoir comment ils pourraient servir le pays : « En continuant, comme vous le faites, à bien peindre »), il retrouve, avec Marquet, Collioure, et y fait notamment la connaissance de Juan Gris.

Que retire-t-il de tels voyages ? Toujours aussi peu d'exotisme (à chaque retour, il se déclare heureux de retrouver « ses pantoufles »), mais plutôt la confirmation de ses intérêts : pour une certaine lumière (mais celle de Tanger est « tellement douce, c'est tout autre chose que la Méditerranée[24] ») et le jeu des arabesques décoratives ou la luxuriance des tissus imprimés (deux toiles, peintes à Séville : *Nature morte-Espagne* et *Nature morte-Séville* ont ainsi pour motif des châles acquis sur place). Au-delà, le Maroc lui permet tout particulièrement de reprendre contact avec la nature, et d'ainsi se débarrasser des restes d'une attitude fauve devenus sclérosants.

C'est par exemple ce qui apparaît dans les natures mortes peintes à Tanger en 1913 : l'espace s'y complexifie autour du motif, qu'il s'agisse d'une coupe d'oranges (pl. 24) ou d'*Arums, Iris et Mimosas* (musée Pouchkine), qui semble par ailleurs être une des premières natures mortes en grand format (140 × 87 cm) de Matisse. Dans ces deux toiles, le décoratif des tissus est intégré sans hiatus à la construction des plans, les couleurs sont d'une extrême suavité, et le point de vue plongeant aboutit à une perspective allusive. À Tanger, Matisse rencontre une nature et des modèles qui témoignent d'un certain bonheur de vivre : il refusera pourtant de céder à la tentation d'un troisième voyage, craignant peut-être un affadissement de son travail, l'évanouissement de ses couleurs dans une lumière d'une douceur décidément dangereuse.

Parallèlement aux voyages, les expositions se multiplient, tant à l'étranger (Londres et New York en 1910 et 1911 ; en 1913 participation à l'Armory Show, grâce auquel les États-Unis découvrent l'art moderne dans sa diversité, avec une sculpture, trois dessins et treize toiles, dont le *Nu bleu [souvenir de Biskra]* paraît encore suffisamment choquant pour être brûlé en effigie dans les rues ; en 1913 également, présence à la Sezession de Berlin) qu'en France (différents Salons et, régulièrement, la galerie Bernheim-Jeune). La recherche picturale s'accompagne d'un intense travail en sculpture : *la Serpentine*, le *Dos* I et II. Les cinq bustes de Jeannette sont travaillés entre 1910

Matisse et la *Serpentine*.
Photographie de Eduard J. Steichen
Camera Work, 1913.

et 1913 : partant d'un plâtre encore fidèle au modèle, ils brodent des variations en bronze sur les thèmes de la coiffure, du cou, des orbites, qui aboutissent à un jeu de volumes autonomes, éloignés de tout référent et affirmés comme irréductible présence dans l'espace. À partir de 1913, Matisse a d'ailleurs repris un atelier à Paris (quai Saint-Michel) où il se consacre en alternance à ses deux modes d'expression.

Aussi travaille-t-il à Paris et à Issy (notamment l'été) pendant les deux premières années de la guerre — explorant aussi bien ce qui, du cubisme, lui paraît compatible avec son art (il n'en conserve en fait que des caractères superficiels, par exemple dans la *Tête blanche et rose* de 1914), que la cristallisation de ses souvenirs de Tanger (les *Marocains* de 1916, pl. 31) ou l'organisation de toiles évoquant l'intimité familiale (la *Leçon de piano*, 1916, pl. 30). En fait, sa maîtrise est alors telle qu'il s'autorise un va-et-vient périodique entre des œuvres de recherche et d'autres plus « classiques » ou détendues : les versions doublées d'un même thème (la *Leçon de piano* et la *Leçon de musique* de 1917) ne sont pas rares ; et, en 1917, Matisse produit le troisième état de son relief *Dos*. Il est d'ailleurs possible que le travail avec un nouveau modèle (Laurette) pendant quelques années à partir de la fin 1915, ait encouragé cette élaboration des « variantes » : on sait que Matisse a toujours entretenu avec ses modèles des relations très exigeantes, à la fois affectives et quelque peu tyranniques dans le travail — comme s'il craignait de ne pas en tirer tout ce qu'ils pouvaient lui offrir. Ce qu'il affirmera du portrait en 1954 — qu'« il demande à l'artiste des dons particuliers et une possibilité d'identification presque complète du peintre et de son modèle [25] » — peut être généralisé : le modèle est là, dans tous les cas, pour susciter l'« identification » (on a souvent souligné que Matisse en est physiquement très proche, genoux contre genoux), et non pour être fidèlement représenté ; c'est

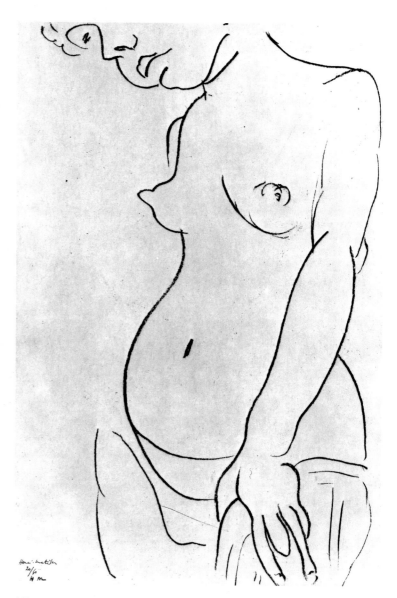

Nu au visage coupé, 1914. Lithographie.
Bibliothèque Nationale, cabinet des estampes.

dire qu'il doit d'abord déclencher une émotion capable de faire naître ce désir d'identification, et que ce n'est qu'au terme de très nombreuses séances de pose que cette émotion pourra trouver sa traduction picturale.

Bien que Matisse ait ainsi réalisé pendant la Première Guerre mondiale quelques-unes de ses toiles majeures, on aurait tort d'en conclure qu'il était indifférent aux événements. En fait, « à l'arrière, tout n'est pas drôle », affirme une lettre à Derain en 1916 : « Ajoutez notre beau métier de peintre toujours fuyant — qui n'est beau qu'en rêve. (Le) manque de nouvelles de ma famille et cette angoisse qui vient de l'attente continuelle dans laquelle on vit, le peu qu'on sait, tout ce qu'on nous cache avec ça, vous pouvez vous faire l'image du civil pendant la guerre » — un civil de surcroît préoccupé du sort de ses amis peintres et qui, lorsqu'il évoque son travail à son correspondant Hans Purrmann, ajoute : « Voilà les choses importantes de ma vie. Je ne puis dire qu'elle ne soit pas un combat — mais le vrai combat n'est pas celui-là, je le sais très bien, et c'est avec un respect tout particulier que je pense aux " poilus " qui disent avec modestie : " nous y sommes forcés ". Cette guerre aura des aspects positifs — quelle gravité elle aura donné aux vies même de ceux qui n'y participaient pas s'ils peuvent partager les sentiments du simple soldat. »

LA « PREMIÈRE PÉRIODE NIÇOISE »

En 1916, Matisse effectue un premier séjour à Nice. Il y découvre un climat et une lumière qui le séduisent, et s'y installe régulièrement à partir de 1920, y passant une bonne moitié de l'année (le reste à Paris) dans un appartement de la place Charles-Félix. À partir de 1938, ce sera dans un grand appartement du Regina, sur la colline de Cimiez qui domine la ville. Mais la lumière n'est pas uniquement synonyme d'éclairage facile à rendre, c'est tout au contraire un défi permanent qu'elle lui lance dans son travail. En 1918, il écrit ainsi à Camoin : « Il semble que c'est un paradis qu'on n'a pas le droit d'analyser et pourtant on est peintre, N. de D. Ah ! c'est un beau pays Nice ! Quelle lumière tendre et moelleuse malgré son éclat. Je ne sais pourquoi je la rapproche souvent de celle

de la Touraine (il faut peut-être deux r). Celle de la Touraine est un peu plus dorée, celle-ci est argentée. Même que les objets qu'elle touche sont très colorés comme les verts, par exemple. Je me suis cassé souvent la gueule. Je promène, après avoir écrit cette déclaration, les yeux autour de la chambre où sont accrochées une partie de mes croûtes, et tout de même, je crois y avoir touché quelquefois, mais ce n'est pas certain [26]. »

Les années 1919-1929, que la critique nomme volontiers la « première période niçoise » de Matisse vont être fécondes en toiles apparemment « faciles » : c'est la série des multiples *Odalisques*, des natures mortes, des intérieurs lumineux qui semblent converger vers la définition d'une profonde sérénité, d'un bonheur de vivre et de peindre sans problèmes. Ainsi va s'élaborer une image quasi officielle de Matisse, expert en couleurs hardies, en lumières tamisées et en jeunes femmes alanguies, qui est loin de rendre justice au travail pictural de ces années, sans doute à première vue plus calme que dans la période antérieure, mais néanmoins traversé par une constante remise en chantier de l'acquis. Pour « expliquer » ce qui a été tenu pour un « entracte » dans l'œuvre, on ne s'est d'ailleurs pas privé d'évoquer le contexte bien particulier de l'après-guerre, et son influence sur un peintre qui, de surcroît, a franchi le cap de la cinquantaine. L'addition des « années folles » et de l'atmosphère propre à la Côte d'Azur aboutirait ainsi à une nouvelle version, quelque peu affadie, de « luxe, calme et volupté »...

Il est incontestable que les œuvres de Matisse se préoccupent peu d'évoquer la misère : sa démarche n'a rien en commun avec celle — pour prendre un exemple dans l'histoire du cinéma, mais qui concerne également la vie sur la Côte d'Azur — d'un Jean Vigo, dont *À propos de Nice*, qui dénonce l'envers de l'oisiveté, date précisément de 1929. Il est en revanche inexact que cette « première période niçoise » soit uniquement consacrée à l'exaltation permanente de la « grâce » et de ce que l'existence peut offrir de plus immédiatement « aimable ». En fait, Matisse n'en finit pas d'interroger ses propres conquêtes d'avant-guerre, dans le domaine de la couleur, dont les accords se font plus audacieux que jamais pendant que le peintre s'autorise un recours aux gris naguère prohibés, ou dans celui de la composition, où une certaine perspective prend fréquemment la relève du principe de pure frontalité, mais pour construire des angles de vision inhabituels et un espace d'une grande complexité, entre fenêtres et ouvertures, souvent redoublé par l'intervention des miroirs et des tableaux dans le tableau. De surcroît, la prolifération des accessoires décoratifs (bouquets, tentures à ramages, à fleurs ou à rayures, carrelages, tapis, etc.) contraint à une construction extrêmement serrée de l'espace de représentation, allant jusqu'à faire du corps féminin, non pas le motif « central », mais plutôt une forme parmi d'autres, qui importe peut-être moins comme exaltation de la chair féminine que par ce que le dessin de ses courbes permet comme oppositions par rapport aux horizontales, aux verticales (fenêtres, balcons) et aux obliques (tapis et rideaux, meubles en perspective). Le thème de l'odalisque condense ainsi, plus qu'un souvenir, une « impression » du Maroc, et les costumes, le paravent mauresque, les tentures et tapis arabes que l'on retrouve d'une toile à l'autre sont des accessoires d'abord « symboliques » ou symptomatiques, utilisés pour un théâtre mental qui n'a rien à voir avec une réalité quelconque, mais tout avec l'élaboration de et par la peinture. Sa répétition, sa reprise, indique donc, au contraire d'un manque d'inspiration du peintre, son acharnement à en épuiser toutes les variantes ou « combinaisons » possibles : « J'ai répondu à quelqu'un qui disait que je ne voyais pas les femmes comme je les représentais : " Si j'en rencontrais de pareilles dans la rue, je me sauverais épouvanté ". Avant tout, je ne crée pas une femme, *je fais un tableau*[27]. »

Figure allongée, tête dans la main, 1929. Gravure.
Bibliothèque Nationale, cabinet des estampes.

LA RECONNAISSANCE EN FRANCE

Toujours est-il que ces toiles, apparemment plus aimables que *la Raie verte* ou *la Danse*, ont un certain succès : Matisse commence à être reconnu par le public français. En 1918, il expose avec Picasso chez Paul Guillaume (nouvelle occasion pour vérifier leur estime réciproque : alors qu'il confie à Max Jacob que, s'il ne faisait pas ce qu'il fait, il aimerait peindre comme Picasso, son interlocuteur lui répond que Picasso lui a dit exactement la même chose en ce qui le concerne). À partir de 1919, la galerie Bernheim-Jeune va montrer chaque année sa production récente. En 1922, le musée du Luxembourg fait l'acquisition de l'*Odalisque au pantalon rouge* (pl. 36), et Matisse est décoré de la Légion d'honneur trois ans plus tard.

Dès la première exposition chez Bernheim, André Lhote remarque que Matisse a eu « le succès que jusqu'ici le public lui avait refusé », tout en déplorant que ce soit pour ses œuvres « les plus superficielles ». Comme bien d'autres critiques, il souligne le « non-fini » matissien[28] :

Figure face au bocal à poissons, 1929. Eau-forte.
Bibliothèque Nationale, cabinet des estampes.

« Une toile de Matisse… débarrassée des détails qui dans la réalité et les tableaux classiques supportent la couleur et en dissimulent la signification technique, nous propose la solution moins achevée qu'*en train de s'achever*. L'artiste nous prend à témoins de son tour de force : il va même jusqu'à avouer ses incertitudes par les " blancs ", et la fièvre de son travail rapide par les déchets : traits de crayon, bavures et taches, qu'il laisse religieusement sur sa toile[29]. » Ces termes dépréciatifs d'André Lhote s'inverseront pour une certaine modernité picturale — celle qui, aux États-Unis comme en Europe, aura précisément pour ambition d'affirmer l'autonomie du tableau par rapport à son référent et à la vision quotidienne, et qui restera soucieuse de montrer en effet comment advient sur une toile ce que l'on nomme « peinture ». Tel est bien l'enjeu du travail de Matisse, car ce n'est que par cette apparition progressive d'un non-encore-vu en train de se constituer, que l'« émotion » peut être transmise comme indéfiniment actuelle — et que la peinture trouve sa justification.

Parallèlement aux expositions personnelles, la présence aux divers Salons parisiens et les expositions à l'étranger confirment la réputation internationale de l'œuvre (1920 : participation à la 12e Exposition internationale d'Art de Venise, Signac y étant responsable de la sélection française ; 1924 : New York, rétrospective à Copenhague ; 1927 : à nouveau New York ; 1929 : Palais des beaux-arts de Bruxelles).

Le début de la période niçoise est marqué par une expérience scénographique : Matisse conçoit décors et costumes pour *le chant du Rossignol* de Stravinsky (interprété par la troupe de Diaghilev) : « Le rideau, de 18 mètres sur 15, se caractérise par un vaste rectangle blanc sur champ noir à bordure jaune et s'illustre de trois masques et de deux lions bouddhiques à crinière verte et à poitrail vermillon… Le décor est bleu céruléen, avec des colonnes dont le socle, de la hauteur d'un homme, est blanc. Entrent seize danseuses, lanternes à la main et ces lanternes, mieux que par des ampoules électriques, sont lumineuses dans ce milieu céruléen par le seul conflit du vermillon qui les peint à l'extérieur et du jaune citron qui les peint intérieurement ; d'ailleurs, ces fleurs jaunes qui tachent les costumes, que signifieraient-elles, sinon des éclaboussures de lumière ? Ceci n'est qu'un exemple des cent moyens ingénieux, élégants et logiques par quoi l'artiste s'est exprimé[30]. » Confronté à l'espace scénique et au mouvement réel dans lequel doivent être emportés ses costumes, Matisse ne cherche nullement à y transposer un de ses tableaux : c'est au contraire pour lui une invitation à expérimenter des façons inédites d'habiter l'espace, d'y introduire des couleurs symboliques qui y dessinent des axes et des lignes de force susceptibles de s'harmoniser à la chorégraphie. Mise en spectacle qui est une occasion supplémentaire de réfléchir sur la définition d'un espace général par les couleurs.

C'est également en 1920 que paraissent en album *50 Dessins* avec une préface de Charles Vildrac (un second recueil de *Dessins*, préfacé par Waldemar George, sera édité en 1925) et le petit ouvrage de Marcel Sembat, qui inaugure la collection des « Peintres nouveaux français » aux éditions de la N.R.F. Désormais, la référence à Matisse devient obligatoire dans les histoires de la peinture moderne. Le *Panorama de la Peinture française contemporaine* de Pierre Courthion (Kra, 1927) lui assigne symptomatiquement le chapitre consacré à « la couleur », entérinant sa réputation établie de « plus grand coloriste de l'époque ». S'il est amusant de souligner, comme l'a fait Aragon, que Matisse reste ignoré du *Dictionnaire des peintres, graveurs, dessinateurs* de Bénézit dans son édition de 1923, il peut l'être également de noter que *la Revue septentrionale* (Bulletin des Rosati de Nord-Picardie) ne manque pas une occasion de noter la présence de « M. Henri Matisse (du Cateau-Cambrésis) » aux divers Salons, et de signaler les achats officiels — tant étrangers que français — dont il bénéficie (on apprend ainsi dans le numéro de mars 1935 qu'une *Femme à la Fenêtre* fait partie de la section française du musée du prince Paul de Belgrade…). Sans doute fallait-il que la notoriété de l'artiste fût devenue internationale pour que des « régionalistes » s'en préoccupent — puisqu'il avait, à leurs yeux du moins, eu le tort d'abandonner sa province natale ; mais cet « abandon » lui-même, sa conversion, de la lumière du Nord à celle du Midi, ne signifiaient peut-être pas la rupture de toute relation affective avec le lieu de naissance, comme l'indique sa présence, en 1933, à l'exposition des Rosati (galerie Durand-Ruel) ou, plus sérieusement, l'important don de ses œuvres qu'il fera à la municipalité du Cateau lorsque cette dernière manifestera l'intention de fonder un musée en son honneur.

Il ne faudrait pas en conclure, cependant, que toute réticence ait dès lors disparu ; alors qu'un Jacques Guenne, qui a publié un important « Entretien avec Henri Matisse » en 1925 [31], estime que ses *Odalisques* sauvent du désastre le Salon des Indépendants de 1927 [32], *le Crapouillot* déplore en 1926 que Matisse revienne « au bariolage de tapis turc de ses ordinaires odalisques » et « grince des dents acides, comme un ancien révolutionnaire [33] » ; parmi les opposants irréductibles figure notamment Camille Mauclair, déjà prêt à dénoncer tout indice de « décadence », et particulièrement allergique aux odalisques, qui focalisent décidément l'attention : « sur des cretonnes de la place Clichy et dans un décor de hammam sans luxe, des faces stupides et des anatomies incorrectes, fades et molles… Papier peint, d'un effet clair, gentil et facile… Un très habile homme, qui excelle à " ne pas s'en faire ". Avec une nonchalance souveraine, il pose sur une toile quelques touches versicolores, et il est tellement sûr que c'est admirable et définitif qu'il n'y ajoute rien [34] ». Voudrait-on cependant un indice moins discutable de la notoriété de Matisse dès le début des années vingt ? Il suffit de remarquer que John Galsworthy signale dans *A louer* que son personnage Soames Forsythe, collectionneur qui possède, entre autres, un Goya, a acquis « avant la guerre » quelques Matisse, « parce qu'à cette époque on faisait tant de bruit autour des post-impressionnistes [35] » : il faut croire que « le bruit », en ce qui concerne Matisse, n'a fait que s'amplifier, pour que le lecteur anglais (le roman est paru en 1921) sache de qui et de quoi il s'agit, et puisse du même coup saluer le flair de l'acheteur avisé…

Que ces années vingt soient pour Matisse tout autre chose qu'un répit ou une détente dans la recherche, son activité dans les domaines de la sculpture ou de l'estampe (où sont parfois reprises des compositions dont une première version a été donnée en peinture) le montre amplement : entre 1922 et 1929, Matisse produit 115 lithographies — dont l'*Odalisque à la culotte bayadère* (1925), un de ses chefs-d'œuvre, toutes techniques confondues. Dans la seule année 1929, il grave 108 eaux-fortes et pointes sèches, reprenant par les seules ressources du trait et des valeurs tous les problèmes formels que la peinture a pu résoudre par la richesse de la couleur. Plusieurs têtes sculptées (*Henriette* II, 1927, et III, 1929) témoignent d'une organisation des volumes de plus en plus libre en même temps que rigoureuse, et, en 1930, le quatrième et dernier état du *Dos* culmine dans une schématisation monumentale où le corps féminin, résumé à quelques masses verticales, s'apparente à une colonne prête à soutenir tous les frontons que l'on voudra rêver.

TAHITI, LA DANSE

En 1927, Matisse a reçu le premier Prix Carnegie. Trois ans plus tard, il est invité à faire partie du jury (qui attribuera cette fois le prix à... Picasso), mais, dans un premier temps, ne s'embarque pour les États-Unis en février 1930 que pour gagner Tahiti (après avoir pensé aller aux Galapagos). Il découvre avec plaisir New York (envisageant même d'y travailler durablement : « l'espace que j'ai cherché à Tahiti et que je n'y ai pas trouvé, je l'ai rencontré à New York[36] »), dont la lumière lui paraît « très pure, immatérielle, une lumière de cristal », puis traverse le continent, par Chicago, jusqu'à Los Angeles et San Francisco.

Le séjour tahitien va durer trois mois — au cours desquels Matisse ne peindra qu'une petite toile ; il fera en revanche de nombreux dessins, et quelques photographies qu'il qualifiera lui-même de « mauvaises » : dénuées de tout pittoresque exotique (qu'il fuit selon son habitude), un peu floues et sans grande originalité (elles peuvent faire penser à de banales cartes postales), elles constituent simplement des « souvenirs », ou si l'on préfère des « pense-bête », que leur auteur annote d'ailleurs soigneusement au dos, mais qui témoignent cependant de ce qui l'intéresse : l'étendue de la mer et du ciel, la courbe

d'un tronc de cocotier, l'épaisseur de la végétation... Moment, si l'on veut, de « vacances » : « J'ai vécu trois mois, absorbé par l'ambiance, sans idée devant la nouveauté de tout ce que j'y voyais, anéanti, emmagasinant beaucoup de choses[37] ». Il y fait également l'expérience d'une lumière tout autre : « Chaque lumière offre son harmonie particulière... La lumière du Pacifique, des Iles, est un gobelet d'or profond dans lequel on regarde[38] » alors que la nôtre est « d'argent ». La lumière des Iles est pourtant trop constante, étale, pour être véritablement inspiratrice : « Là-bas le temps est beau dès le lever du soleil et demeure inchangé jusqu'au soir. Un bonheur à ce point immuable est lassant[39]. » Farniente, croquis, bains dans les lagons, occupent des journées au cours desquelles Matisse engrange des sensations, dont il ne tirera les leçons, dans son travail, que plus tard. À Tahiti, il croise le cinéaste allemand Mürnau (sur place pour le tournage de *Tabu*), qui réalise de lui deux portraits photographiques et, comme chaque fois qu'il se trouve hors de l'ambiance occidentale, il est peu sensible aux indigènes[40] : en aucun cas, il ne s'agit pour lui de chercher l'ombre de Gauguin (« J'ai trouvé, dans un faubourg de Papeete, cette ville coloniale de trois mille habitants, une petite rue Gauguin qui n'avait de maisons que d'un seul côté[41] ») — dont il a d'ailleurs vendu, avant son départ de France, le *Jeune Homme à la fleur de Tiaré* acquis trente et un ans plus tôt, comme pour confirmer une rupture symbolique et qui, sur place, ne « survit » que chez les « peintres » qui fabriquent « toute leur vie... encouragés par les habitants qui espèrent ainsi avoir leur revanche » le même cliché : « le coucher de soleil sur Mooréa[42] ».

Après un bref séjour en France, Matisse repart aux États-Unis et rend visite au docteur Barnes à Mérion (Pennsylvanie), qui possède une solide collection de toiles françaises (Cézanne, Renoir, Seurat, etc.) et lui commande une décoration pour la grande salle où elle sera présentée.

« Vue derrière mon hôtel de la terrasse ».
Photographie prise par Henri Matisse lors de son passage
à l'Hôtel Stuart à Tahiti en 1930.

« Peignez ce que vous voulez, absolument comme si vous peigniez pour vous-même. » Matisse, qui voit là une chance de sortir, comme il l'espère depuis longtemps, du tableau de « chevalet » pour aborder ce qu'il va nommer la « peinture architecturale », accepte bien entendu — sans se douter que ce travail va l'absorber pendant trois ans.

Il s'agit en effet de résoudre un problème délicat, dû à l'emplacement prévu : de format irrégulier, il est constitué par trois demi-cercles séparés par les arcs soutenant la voûte, situés à contre-jour au-dessus de portes-fenêtres de six mètres de haut (« à travers lesquelles on ne voit que la pelouse, rien que du vert et peut-être des fleurs et des buissons ; on ne voit pas le ciel [43] »), mais réunis, au niveau inférieur, par un long bandeau horizontal. Surface totale : 52 m². Par ailleurs, la présence dans la salle même d'autres peintures, invite Matisse à concevoir sa décoration comme tout autre chose que l'agrandissement d'une toile habituelle — tant dans ses couleurs que dans sa composition ou sa matière : « C'est une salle pour des peintures : traiter sa décoration comme un autre tableau aurait été déplacé. Mon but a été de traduire la peinture en architecture, de faire de la fresque l'équivalent du ciment ou de la pierre [43]. » Enfin, l'ombre portée que produiront les retombées de la voûte ne doit pas être négligée dans la composition elle-même.

Après des recherches en maquette, Matisse décide de travailler en grandeur réelle, dans un vaste garage loué pour l'occasion : l'agrandissement traditionnel par mise au carreau est à rejeter dans la mesure où les rapports entre les couleurs changent avec leur quantité, et où d'autre part il faut tenir compte des déformations produites par un accrochage de l'œuvre à hauteur inhabituelle. Travaillant dès lors sur des personnages dont les silhouettes font 3,50 m de haut, il dessine avec un fusain fixé au bout d'un bambou, et surtout, prend l'habitude de faire ses essais de couleurs avec des papiers gouachés, simplement punaisés sur le support et qui peuvent donc être déplacés rapidement, là où la correction d'une couleur peinte exigerait beaucoup plus de temps. Technique qui, initialement, a donc un intérêt purement fonctionnel, mais dont Matisse admettra dix ans plus tard qu'elle peut, par elle-même, générer des effets plastiques autosuffisants.

Une première version (pl. 39) de *la Danse* (thème récurrent depuis *la Joie de vivre* de 1906, qui a donné aussi naissance à un des panneaux de Chtchoukine) est ainsi achevée — et Matisse s'aperçoit alors que les dimensions indiquées étaient fausses. Il faut donc entreprendre une deuxième version — qui va être sérieusement modifiée : « J'ai dû changer ma composition (en fonction des proportions différentes des intervalles). J'ai fait un travail, même, de sentiment différent : le premier est guerrier, le second dionysiaque ; les couleurs qui sont les mêmes ont cependant changé [44]. » Installée en mai 1933, la décoration finale donne pleine satisfaction au peintre (et au mécène) : « À mon atelier... elle n'était qu'une toile peinte. Là à la Fondation Barnes, elle devenait une chose rigide, lourde comme la pierre, et qui semblait avoir été créée en même temps que le bâtiment... C'est une splendeur... tout le pla-

Photographie d'Henri Matisse à Tahiti. (Manuscrite au dos *Sous les pandanus*.)

Nu couché, 1927 et *Nu bleu IV*, 1952.

fond avec ses arceaux vivent par radiation et le même effet se continue jusqu'au sol [45]. »

L'expérience est donc réussie : Matisse en restera persuadé que la peinture peut désormais quitter le chevalet, gagner l'architecture, l'espace urbain, participer d'un environnement qui déborde de très loin l'intimité du logement privé. S'il rejoint ainsi des préoccupations qui sont dès cette époque partagées par les muralistes américains, il se trouve en avance, une fois de plus, sur ce que le public ou les officiels français sont prêts à accepter.

Les effets de cette *Danse* sont sensibles dans la peinture

des années suivantes, par une épuration des moyens mis en œuvre : abandon du modelé et préférence pour l'aplat, frontalité à nouveau affirmée comme ce qui permet le mieux — parce que le plus simplement — de faire advenir le motif dans l'espace de la visibilité, évolution des figures et des éléments décoratifs vers la radicalité du signe, allusif dans sa pureté mais suffisant pour désigner la forme et le volume. Matisse confirme dans ces années — avec des toiles aussi célèbres que *le Rêve* (1935) ou *la Blouse roumaine* (pl. 43) — que la peinture peut être l'équivalent d'un langage (par sa capacité à combiner des signes) en même temps qu'une invitation à la rêverie poétique — puisque les figures présentées appellent, par leur schématisation même, le spectateur à les investir de sa propre subjectivité.

LIVRES ILLUSTRÉS

En 1930, Matisse avait accepté, pour l'éditeur Albert Skira, d'illustrer une édition des *Poésies* de Mallarmé (qui paraît en 1932) : première incursion dans un « art du livre » où il va progressivement affirmer sa maîtrise [46]. C'est que le livre est aussi un espace à travailler comme tel, dans le déploiement successif de ses pages autant que dans la surface de chacune. Il ne s'agira jamais, dans la série des textes que Matisse accompagnera, d'en redoubler le sens, mais bien plutôt d'en fournir une transposition graphique qui en exalte certaines significations latentes : « Le livre ne doit pas avoir besoin d'être complété par une illustration imitative. Le peintre et l'écrivain doivent agir ensemble, sans confusion, mais parallèlement. Le dessin doit être un équivalent plastique du poème. Je ne dirai pas : premier violon et deuxième violon, mais un ensemble concertant [47]. » Pour un tel « concert », les *Poésies* de Mallarmé font resurgir les premiers souvenirs d'Océanie, et, ultérieurement, *Pasiphaé* de Montherlant

Matisse peignant au fusain, avec un bambou. Cimiez, Nice, août 1949. Photographie de Robert Capa.

Illustration pour *Florilège des amours* de Ronsard, 1948.

(147 linogravures), *les Lettres portugaises* (15 lithographies pleine page, 55 ornements), *les Fleurs du mal* de Baudelaire (une eau-forte, 33 photolithos, 38 ornements et 33 lettrines sur bois), *Repli* de Rouveyre (12 lithos, 6 linogravures), le *Florilège des Amours de Ronsard*, dont Matisse choisit lui-même les textes (128 lithos), les *Poèmes* de Charles d'Orléans (100 lithos) et quelques autres volumes en indiquent de multiples variantes, Matisse s'étant réservé le contrôle total (choix du papier, de la typographie, définition des espacements, etc.) de certains pour maîtriser intégralement la dualité lisible-visible. Il y prouvera notamment l'efficacité du blanc — se souvenant des mises en page de ses propres lithographies et modulant souverainement l'épaisseur de son trait en même temps que la répartition de ses couleurs. Dans ce travail pour bibliophiles (mais pour Matisse la conception d'un « beau livre » est aussi noble que la peinture dès qu'elle produit un espace authentiquement plastique), on doit faire une place à part aux eaux-fortes élaborées en 1935 pour une édition américaine de *Ulysses* de Joyce : Matisse s'y est

plus inspiré de l'*Odyssée* d'Homère que de l'écrivain irlandais (qu'il n'a pas lu), décelant intuitivement quelques-uns des thèmes générateurs du roman et les soulignant comme un de ses aspects fondamentaux ; mais surtout, Ulysse crevant l'œil du Cyclope l'incitera à fournir une représentation cruelle à peu près unique dans son œuvre.

La recherche d'un espace de figuration étranger au chevalet ne s'effectue pas seulement dans les livres ; elle se poursuit aussi dans des cartons pour tapisseries : double version de la *Fenêtre à Tahiti* (pl. 40), carton (jamais tissé) de la *Verdure. Nymphe dans la forêt* (pl. 42), ou dans les études, où réapparaît l'usage des gouaches découpées, pour le décor et les costumes de *l'Étrange Farandole* (Ballets de Monte-Carlo, 1937 ; musique de Chostakovitch, chorégraphie de Massine, qui avait déjà signé celle du *Chant du Rossignol* de 1920) : on y retrouve des souvenirs de *la Danse* de Mérion.

UNE « SECONDE VIE »

À la déclaration de guerre en 1939, Matisse rentre de Genève (où il est allé voir les chefs-d'œuvre du Prado) à Paris — il y possède depuis une dizaine d'années un vaste appartement boulevard du Montparnasse. Il envisage un voyage au Brésil, mais l'invasion allemande le convainc de rester en France, et l'« exode » le ramène aussitôt — *via* Bordeaux, Ciboure, Saint-Gaudens, Carcassonne et Marseille — au Regina de Nice, puis à la villa « le Rêve », à Vence, qu'il loue de 1943 à 1949. Mais, en janvier 1941, il doit subir une très grave opération intestinale — à laquelle il survit, presque contre toute attente. Les religieuses qui le soignent le surnomment « le ressuscité » et il aura désormais le sentiment de bénéficier d'une « seconde vie » — au cours de laquelle son œuvre va atteindre, comme par une nouvelle jeunesse, des sommets de plénitude et de souveraine simplicité, jusque dans des domaines nouveaux.

Les années de guerre seront consacrées à un travail acharné — qui permet sans doute d'oublier les soucis familiaux (Madame et Marguerite Matisse, impliquées dans la Résistance, auront de sérieux démêlés avec la Gestapo) ou « professionnels » (on contacte le peintre pour un voyage « officiel » en Allemagne : il refuse ; en 1942, il n'hésite pas, au cours d'entretiens radiophoniques, à attaquer vigoureusement l'« académisme » de bon ton à l'époque). L'image publique de Matisse, tout particulièrement parmi ses jeunes confrères, est alors celle du représentant par excellence des qualités de l'art « français » : audace tempérée d'équilibre, science de la couleur et de la composition — image que confirme le nombre important de faux circulant pendant la guerre (honneur partagé avec Picasso, Miró ou Dufy), ou que soulignent les prix qu'atteignent ses travaux en vente publique en 1943-44 : au niveau de Delacroix ou Renoir, Matisse vaut alors dix fois plus que Picasso (il est vrai qu'il n'a pas écopé comme lui de l'étiquette d'artiste « dégénéré »). Sans doute est-ce pour posséder un bon exemple de cet art « français » que Goering retient pour sa collection particulière *la Pianiste et les joueurs de dames* de 1920, et un dessin d'*Odalisque aux babouches* de 1929[48]. Il n'est en tout cas pas surprenant qu'Aragon, avec son *Matisse-en-France* (1942) « rédige l'un de ces textes dont le chauvinisme et l'héroïsme littéraire de circonstance peuvent apparaître aujourd'hui bien désuets même s'il appartient comme d'autres à la résistance intellectuelle du moment[49] » — mais à New York, c'est bien cette version de la France qu'offre en 1943 l'importante rétrospective de sa peinture qui se tient chez son fils Pierre. « Bien peindre », comme l'avait conseillé Marcel Sembat, c'est peut-être pour un artiste (surtout de l'âge de Matisse) la meilleure façon de signifier son amour de la liberté et son patriotisme : ce qui le préoccupe en effet, « c'est l'incertitude dans laquelle on vit et la honte de subir une catastrophe dont on n'est pas responsable. Comme a dit Picasso (à propos des généraux français) : " C'est l'école des Beaux-Arts ". Si tout le monde faisait son métier comme Picasso et moi faisions le nôtre, ça ne serait pas arrivé[50] ».

C'est d'ailleurs à l'initiative de Picasso qu'une toile de Matisse figure en 1944 au Salon de la Libération, et, dès l'année suivante, les deux peintres se retrouvent une fois de plus côte à côte au Salon d'automne parisien, puis en décembre au Victoria and Albert Museum de Londres. En 1946, ce sera au Palais des beaux-arts de Bruxelles (27 œuvres de Picasso, préfacées par Ch. Zervos, 24 de Matisse, préfacées par J. Cassou). En janvier de la même année, la galerie Maeght (Paris) présente des toiles de 1939-1941 accompagnées de photographies montrant leurs états successifs (comme Matisse en fait prendre depuis les années trente[51]) et révélant un peu de la « fabrique » du peintre. Ensuite se multiplient expositions (Liège, Nice, Milan, le Japon, rétrospectives à New York, Paris, Lucerne...) et honneurs : entrée d'œuvres importantes, en 1947, au tout récent Musée national d'art moderne ; en 1950, Grand Prix de la Biennale de Venise (que Matisse tient à partager avec le sculpteur Henri Laurens) ; parution de la monographie d'Alfred Barr (*Matisse, his Art and his Public*) dont le peintre réalise la couverture en papiers découpés ; présence dans les grands musées américains grâce au système des donations privées ; inauguration en 1952 du musée Matisse au Cateau... L'œuvre, mondialement diffusée et célébrée, va devenir marquante pour un nombre croissant de peintres, tant américains (de Motherwell à Sam Francis ou Stella) qu'européens.

À Nice et Vence, la « seconde vie » de Matisse peut sembler confortable — le décor est simple mais raffiné,

Différents états du *Nu couché*, 1935.

3 mai 1935

29 mai 1935

animé de plantes vertes et de bouquets, de riches tissus, de bibelots choisis, d'objets d'art divers (Antiquité, Afrique, Chine, Océanie), peuplé de nombreux oiseaux (jusqu'à 300) — elle est physiquement pénible : depuis son opération, il est obligé de porter un corset métallique et ne peut rester debout très longtemps. C'est donc assis ou allongé, aidé par son assistante-secrétaire Lydia Delectorskaya, qu'il consacre de nombreuses heures à ses dessins, qui atteignent alors une éblouissante perfection, due à la sûreté et à la fluidité du trait comme à la façon dont le blanc du papier s'y fait espace vibrant, « teinté » selon la proximité, le nombre et l'ampleur des lignes (« Je serais tout prêt à dire que la feuille où est son trait est plus blanche que la feuille vierge qu'elle était. Plus blanche, de cette conscience de l'être », suggère Aragon en 1942[52].) L'« élan de la ligne » est acquis au terme d'une étude prolongée, d'un long et attentif compagnonnage avec le modèle — qui a pour objet, paradoxal en apparence, d'en « libérer » l'artiste et de lui permettre alors, après la mise au point de son « thème », d'effectuer ses séries d'époustouflantes « variations », que ce soit à partir d'un visage, d'un corps, d'une fleur, d'un arbre... « Le modèle est pour moi un tremplin — c'est une porte que je dois enfoncer pour accéder au jardin dans lequel je suis seul et si bien — même le modèle n'existe que pour ce qu'il me sert[53]. » Si le modèle dépend toujours, selon la formule d'Aragon, d'un « coup de foudre », Matisse doit s'en imprégner au point de laisser ensuite sa main exécuter un travail qu'il qualifie parfois d'« inconscient » — travail en effet devenu si spontané que, s'il faut revenir sur un trait laissé vide d'encre par le bec de la plume, « aussi court soit-il je ne puis le faire sans trembler, sans gâcher l'élan de la ligne[54] ». Les « progrès » (le terme est de Matisse) ainsi accomplis ne risquent-ils pas dans l'« éternel conflit du dessin et de la couleur » que connaît le peintre depuis ses débuts, de favoriser celui-là aux dépens de celle-ci ?

GOUACHES DÉCOUPÉES

Ce conflit va en fait trouver sa solution définitive — au-delà des toiles d'après-guerre — par la pratique des gouaches découpées qui réapparaissent dans la préparation, dès 1943, de *Jazz* (publié par Tériade en 1947) : Matisse y découvre la possibilité de dessiner, à coups de ciseaux, dans la couleur elle-même.

Après que ses assistantes ont couvert de gouache des feuilles de papier, le peintre y découpe directement, sans esquisse préalable, ses formes — définissant simultanément contour et surface colorée. « Les ciseaux », dit-il, « peuvent acquérir plus de sensibilité de tracé que le crayon ou le fusain [55] », et il ne se lasse pas d'évoquer le plaisir complet que lui procure le travail avec sa « matière-papier ». « Le papier découpé me permet de dessiner dans la couleur. Il s'agit pour moi d'une simplification. Au lieu de dessiner le contour et d'y installer la couleur — l'un modifiant l'autre — je dessine directement dans la couleur, qui est d'autant plus mesurée qu'elle n'est pas transposée. Cette simplification garantit une précision dans la réunion des deux moyens qui ne font plus qu'un [56]. »

Pour l'édition de *Jazz*, il faudra d'ailleurs que Tériade fasse refabriquer des encres spéciales, l'ouvrage étant réalisé au pochoir, tant est grand le souci d'obtenir les couleurs exactes de Matisse — qui s'était servi de gouaches dont la production était arrêtée. La suite des planches se trouve rythmée par des pages d'écriture manuscrite très large — auxquelles Matisse assigne un rôle « purement spectaculaire », mais cependant chargées de poésie.

Lors de sa parution, *Jazz* sera immédiatement salué comme un « livre d'artiste » radicalement nouveau : totalement conçu par son auteur, rassemblant grâce à une technique qui n'a pas fini de révéler ses possibilités, certains thèmes fondamentaux de son imaginaire (le destin, le cœur, la nageuse dans l'aquarium, Icare), il convoque de

6 septembre 1935

12 octobre 1935

Henri Matisse à Vence, 1944. Photographie de Henri Cartier-Bresson.

surcroît des souvenirs d'Océanie dans ses motifs décoratifs (feuilles, palmes, nageuse). Ayant mûri, ces souvenirs reviennent en force, s'alliant au décor méditerranéen dans une synthèse qui irriguera les futures compositions en gouaches découpées — à Vence, Matisse retrouve quelque chose de Tahiti : « Ce matin, quand je me promène devant chez moi en voyant toutes les jeunes filles, femmes et hommes courir à bicyclette vers le marché, je me croyais à Tahiti, à l'heure du marché. Lorsque la brise m'amène une odeur de bois ou d'herbes brûlées, je sens le bois des Iles[57]. »

Jusqu'en 1949, Matisse crée des papiers découpés de format restreint, à motif simple et unique (feuille, algue, corail, rosace, méduse...), comme pour constituer un vocabulaire élémentaire qui va, dès 1946, se trouver articulé pour les compositions destinées à deux impressions sur lin (*Océanie le Ciel, Océanie la Mer*) et deux tapisseries (*Polynésie le Ciel, Polynésie la Mer*). Progressivement, ces combinaisons de motifs simples vont devenir de plus en plus importantes : les photographies de l'appartement montrent que Matisse les dispose en véritables environnements, se répandant en angle sur les murs et au-dessus des portes, gagnant toute la surface disponible pour investir et animer la totalité de l'espace et constituer un « cadre de vie » enchanteur. Toujours préoccupé par le désir d'inscrire son art dans l'espace public, Matisse n'hésitera pas, dans ses dernières années, à concevoir la transposition en céramique de ses plus grandes compositions (*la Piscine* de 1952 mesure ainsi 16 mètres de long, et la *Grande Décoration aux masques* en fait 10). D'autres seront des projets de vitrail (notamment la dernière gouache découpée, une *Rosace* commandée par Nelson Rockefeller) — car le travail entrepris pour la chapelle de Vence a aussi amené Matisse à réfléchir sur cet art qui fait jouer à la lumière un rôle spécifique.

Henri Matisse à Vence, 1944.
Photographie de Henri Cartier-Bresson.

La maison de Henri Matisse à Vence : Le Rêve, vers 1944.
Photographie de Henri Cartier-Bresson.

LA CHAPELLE DE VENCE

Si les gouaches découpées peuvent être considérées comme l'aboutissement ultime des recherches menées dans tous les domaines (Matisse soulignant que la taille du papier lui rappelle également le travail du sculpteur), la chapelle de Vence constitue incontestablement l'autre aspect du génie déployé par le peintre entre la fin des années quarante et sa mort. À l'époque, certains comprennent mal le projet de cette chapelle et l'importance qu'il lui accorde (on sait que Picasso lui suggéra de construire plutôt un marché : « Vous y peindriez des fruits, des légumes » — et l'on connaît la réponse de Matisse : « Mais je m'en fiche pas mal : j'ai des verts plus verts que les poires et des orange plus orange que les citrouilles. Alors à quoi bon ?[58] ») ; elle n'en constitue pas moins son chef-d'œuvre : « Cette œuvre m'a demandé quatre ans d'un travail exclusif et assidu, et elle est le résultat de toute ma vie active. Je la considère malgré toutes ses imperfections comme mon chef-d'œuvre. Que l'avenir veuille bien justifier ce jugement par un intérêt croissant, en dehors même de la signification supérieure de ce monument. » Le texte rédigé pour la plaquette de présentation de la chapelle le répète en termes voisins : « elle est pour moi l'aboutissement de toute une vie de travail et la floraison d'un effort énorme, sincère et difficile. Ce n'est pas un travail que j'ai choisi mais bien un travail pour lequel j'ai été choisi par le destin sur la fin de ma route, que je continue selon mes recherches, la chapelle me donnant l'occasion de les fixer en les réunissant[59] ». Le vocabulaire même de Matisse préfigure cette autre affirmation, selon laquelle il a « été comme appelé dans (s)on travail de peintre[60] » — ce qui confirme bien le caractère de « synthèse » finale que présente la chapelle. Cela ne paraîtra surprenant que si l'on oublie combien l'œuvre de Matisse, parallèlement à l'élaboration des toiles, a été animée de plus en plus nettement par l'ambition d'accéder à une forme d'art qui puisse s'adresser à tous : que cette ambition trouve à se réaliser dans une architecture décorée n'a en fait rien d'étonnant.

Dès 1941, après son opération, Matisse avait eu l'idée de construire un édifice pour remercier les dominicaines de leurs soins. Mais c'est seulement en 1947 que le projet refait surface. Un de ses anciens modèles, entre-temps devenu sœur Jacques-Marie, vient lui montrer une esquisse de vitrail qu'elle a conçue pour l'agrandissement de la chapelle des dominicaines du Foyer Lacordaire voisin. Matisse ne refuse pas ses conseils, mais très vite va dépasser cette étape pour concevoir intégralement un édifice nouveau, aidé par le frère Rayssiguier, élève-architecte, et par Auguste Perret.

Cette chapelle, consacrée le 25 juin 1951, aura occupé Matisse pendant plus de trois ans. C'est qu'il a décidé d'en prendre en charge tous les aspects, aussi bien les éléments du culte que l'architecture et la décoration, de façon à garantir l'unité de l'ensemble. Le bâtiment est simple : sa blancheur, à l'extérieur, est soulignée par deux petites céramiques au très sobre graphisme noir (principe qui se retrouvera à l'intérieur) évoquant saint Dominique et la Vierge à l'Enfant. La seule intervention colorée est réservée à la toiture, où les tuiles bleues et blanches (couleurs traditionnelles de la Vierge) semblent refléter les mouvements des nuages dans le ciel. Sur le toit à l'italienne s'élève une flèche de fer forgé de plus de 12 mètres : elle « n'écrase pas la chapelle mais, au contraire, lui donne de la hauteur. Parce que cette flèche, je l'ai faite comme un dessin — un dessin que je ferais sur une feuille de papier — mais c'est un dessin qui monte. Lorsqu'on voit une chaumière qui fume, vers la fin de la journée, on regarde cette fumée qui monte et qui monte… et l'on n'a pas du tout l'impression qu'elle s'arrête. C'est un peu le sentiment que j'ai donné avec ma flèche[61] ».

Intérieur de la chapelle du Rosaire, Vence. A gauche : la Vierge et l'Enfant, au centre : le chemin de croix (céramiques), 1950.

Matisse et son modèle Michaella à Vence, 1946.
Photographie de Henri Cartier-Bresson.

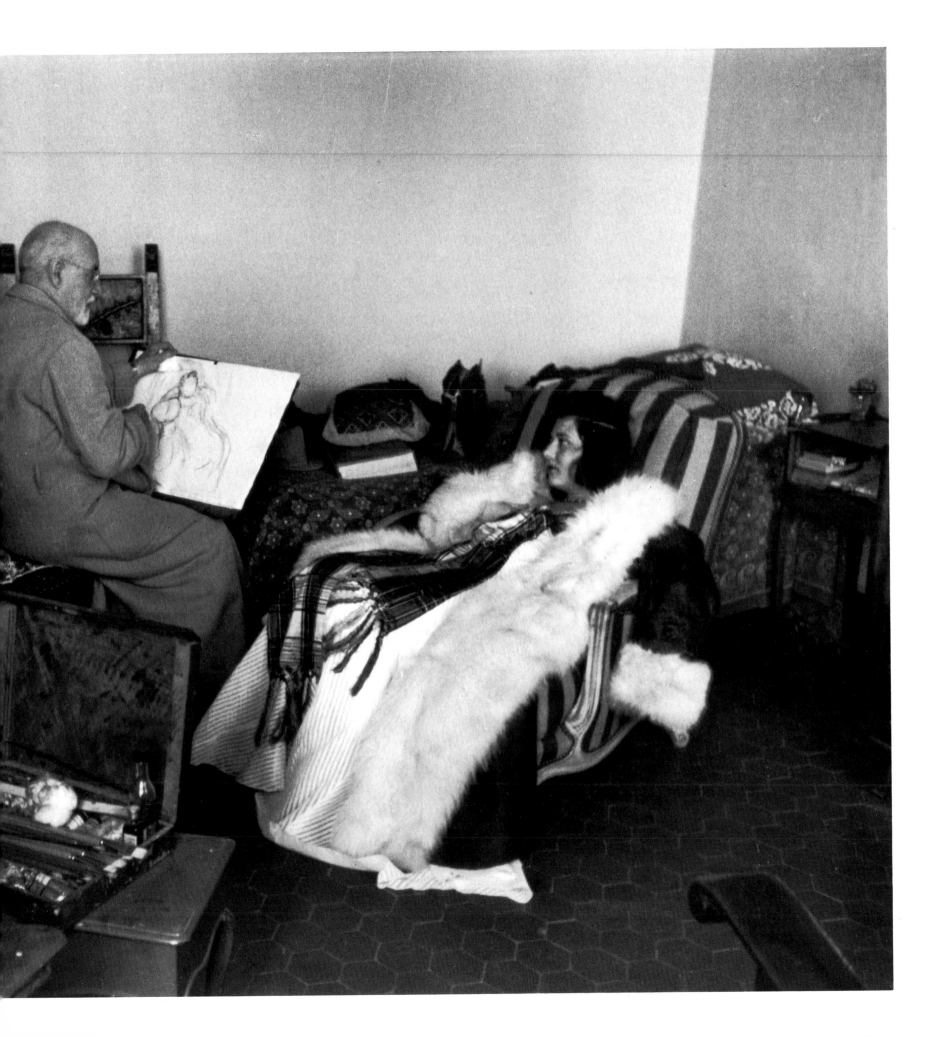

Autoportrait, 1948-1950.

La décoration intérieure obéit à la même recherche d'élévation, de légèreté, aussi bien physique que spirituelle. La couleur, réduite à « un bleu outremer, un vert bouteille, un jaune citron », est réservée aux vitraux, les céramiques murales étant traitées en graphisme noir. Mais la diffusion de la lumière à travers les vitraux, dont les formes (palmes et feuilles) ont été soigneusement mises au point par de multiples maquettes, donne une couleur rose violacé à l'intérieur de l'édifice et vient, selon les heures, enrichir les motifs dessinés de reflets d'une exceptionnelle subtilité. Matisse est allé partout dans le sens de la plus grande simplicité : les visages de la Vierge et de saint Dominique sont réduits à des ovales anonymes et dès lors universels ; le panneau de la Vierge à l'Enfant est passé par de nombreux états avant sa version définitive, dans laquelle la robe de la Vierge (initialement constellée d'étoiles) reste blanche et seulement environnée de bou-

quets de nuages. On sait que le peintre a étudié de nombreux chemins de croix classiques pour aboutir à sa version qui, au lieu de se présenter de façon chronologique, offre sur un panneau unique les différentes stations — à lire en un mouvement ascendant d'abord déroutant, mais qui est conforme à l'expressivité obtenue par chaque trait et à la construction d'ensemble du panneau par des lignes de force qui en intensifient le caractère dramatique.

Sans doute est-ce la première fois dans l'histoire de l'art (et de l'Église) qu'un peintre a eu la possibilité de contrôler la totalité d'un édifice religieux de façon à préserver jusque dans les moindres détails l'unité de son projet[62] : comme les vêtements sacerdotaux habituels auraient rompu l'harmonie des couleurs, Matisse dessine des chasubles, où il mêle subtilement les éléments de son vocabulaire au symbolisme chrétien — et c'est aussi bien le ciboire et les tissus d'autel, les chandeliers et le crucifix, les

Autoportrait, 1951.

Grand masque, 1944.

stalles et la porte du confessionnal, l'autel lui-même et le pavage du sol... qu'il élabore patiemment. « Quand j'entre dans la chapelle », dira-t-il au père Couturier, « je sens que c'est moi tout entier qui suis là[63] » — ce qui signifie aussi que s'y retrouvent sa science de la couleur, son génie du dessin, et sa pratique des gouaches découpées (qui lui ont notamment permis de travailler les vitraux et les vêtements du culte), unifiés dans l'élaboration d'un espace total, volume à la fois dessiné et coloré, qui agit aussi bien sur l'esprit que sur les sens des visiteurs et suscite la sensation d'« apesanteur » recherchée. « Ma chapelle n'est pas : *Frères, il faut mourir.* C'est au contraire : *Frères, il faut vivre !...* Je veux que les visiteurs de la chapelle éprouvent un allègement d'esprit. Que, même sans être croyants, ils se trouvent dans un milieu où l'esprit s'élève, où la pensée s'éclaire, où le sentiment lui-même est allégé[64]. »

En 1943, Matisse avait déclaré à Louis Gillet : « Je me

dis quelquefois que nous profanons la vie : à force de voir les choses, nous ne les regardons plus. Nous ne leur apportons que des sens émoussés. Nous ne sentons plus. Nous sommes blasés. Je me dis que pour bien jouir, il serait sage de se priver. Il est bon de commencer par le renoncement, de s'imposer de temps en temps une cure d'abstention[65]. » Et l'on peut comprendre que, pour mieux retrouver ce que les *Notes d'un Peintre* de 1908 nommaient « le sentiment pour ainsi dire religieux que j'ai de la vie », Matisse ait en effet restreint sa palette pour la chapelle de Vence, dont la signification spirituelle excède le christianisme, de même que, dans les années suivantes, il a épuré et concentré encore davantage les moyens que lui fournissent les gouaches découpées pour atteindre une densité maximale, dont il admettra qu'elle préfigure l'art du futur : « En me renouvelant entièrement, je crois avoir trouvé là un des points principaux d'aspiration et de fixa-

Autoportrait, 1948.

tion plastiques de notre époque. En créant ces papiers découpés et colorés, il me semble que je vais avec bonheur au-devant de ce qui s'annonce… c'est bien plus tard qu'on se rendra compte combien ce que je fais aujourd'hui était en accord avec le futur[66] ». Ce que l'on peut vérifier dans *Tristesse du Roi* aussi bien que dans la série des quatre *Nus bleus* (pl. 47), où les postures féminines sont ramenées, par le puzzle des papiers, à un jeu de courbes essentielles, dans le *Souvenir d'Océanie* (pl. 40) autant que dans *la Négresse* de 1952, qui était épinglée au mur de l'appartement de telle façon que ses pieds traînaient sur le plancher, accentuant son dynamisme. Ces compositions, il arrive qu'elles frôlent l'« abstraction » — tout comme le vitrail des *Abeilles* : « J'ai atteint une forme décantée jusqu'à l'essentiel et j'ai conservé de l'objet que je présentais autrefois dans la complexité de son espace, le signe qui est nécessaire à le faire exister dans sa forme propre et pour l'ensemble dans lequel je l'ai conçu[67] », mais Matisse entend bien se placer, dès 1947, à une époque où les débats entre « figuratifs » et « abstraits » commencent à s'amplifier en France, « hors du moment, de cette mode de distinction du figuratif et du non-figuratif[68] ». C'est qu'il déclare, même s'il s'intéresse au travail d'un Kandinsky, ne pas comprendre ce dernier : « L'art abstrait tel qu'on l'entend actuellement me paraît constituer une tendance dangereuse. Il obéit à l'esprit de facilité. Les artistes '' abstraits '' ne se raccrochent à rien, ni à eux, ni aux objets[69]. »

L'INÉPUISABLE VISIBILITÉ

Toute peinture, ou plus généralement tout art doit en effet, selon Matisse, se « raccrocher » à l'artiste et à son « émotion » devant le monde en même temps qu'à celui-ci, dans lequel il ne trouvera sans doute qu'un prétexte à sublimer, mais sur lequel il lui faut pourtant prendre appui. Autant dire que le monde, le visible, est en lui-même inépuisable : lorsque à la fin de sa carrière Matisse en transpose êtres et choses en signes purs, c'est pour mieux en faire percevoir, d'un point de vue comme inlassablement « innocent », les richesses latentes. Le monde est ainsi ce qui s'offre, jusqu'à la mort du peintre le 3 novembre 1954, pour être mis en forme par la grâce de l'art. Quelle importance aurait en effet la peinture, si elle ne venait pas énoncer de façon spécifique ce qu'aucun discours ne peut véhiculer ? Au savoir sur le monde doit s'ajouter une approche sensible, dont l'énigme est irréductible aux concepts et au langage ordinaire. Si Matisse s'est livré à cette « personne bien diverse, et bien perverse qui se comporte différemment avec chacun à qui elle demande tout entièrement, et qui s'appelle la Peinture[70] », n'est-ce pas parce qu'il en attendait dès révélations multiples, lui signifiant que tout restait toujours à faire et à refaire pour rendre compte de l'opulence, aussi inattendue que subtile, du visible ? Cette offrande du monde au regard, sa disponibilité à l'acte artistique, on peut les nommer « bonheur de vivre » comme on l'a souvent fait, mais à la condition de souligner ce qu'un tel bonheur sous-entend de surprise et de don inespéré à qui le ressent. À l'offrande du monde, qui se livre en effet comme « à peindre » pour qui s'y sent « appelé », répondra l'offrande de la peinture lorsque l'artiste aura accompli son travail. Telle serait la leçon de Matisse, faite de modestie réelle (celle du travailleur fier de sa tâche) et de folle générosité : il faut amener autrui à partager l'extase que provoque l'inépuisable visibilité du monde.

Matisse à Vence dans son atelier,
1944. Photographie de Henri Cartier-Bresson.

NOTES

Les *Écrits et Propos sur l'Art* de Matisse ont été édités et annotés avec grand soin par Dominique Fourcade (Hermann, collection Savoir, 1972). Les citations empruntées à ce recueil seront simplement signalées, par le nom de l'éditeur, suivi de la page de l'ouvrage.

1. Fourcade, 320.

2. À l'époque, où le réseau des galeries est encore élémentaire, les plus importantes s'occupant d'ailleurs presque exclusivement d'art ancien, le Salon reste le seul moyen pour les peintres de conquérir une notoriété leur permettant, grâce aux commandes qu'il entraîne, de vivre de leur art. Mais cela signifie aussi qu'il reste soumis au goût majoritaire, reflété par le jury, constitué d'académiciens et de peintres officiels : l'impressionnisme n'y fut par exemple que très parcimonieusement représenté.

3. Fourcade, 104.

4. Ancienne antiquaire, Berthe Weill possède alors une des rares galeries montrant de la peinture « avancée ». Elle fut une des premières à exposer Matisse, mais aussi Vlaminck, Marquet, Modigliani, Van Dongen, Dufy, Metzinger, etc. Une légende veut qu'elle ait pratiqué un prix plafond de 100 francs « quelle que fût l'importance de la toile offerte par l'artiste. Elle avait pour excuse de ne vendre à peu près rien » (J.-P. Crespelle, *Vlaminck, fauve de la peinture*, Gallimard, 1958, p. 110). En fait, il semble que la toile de Matisse ait été vendue 130 francs (dont 110 pour le peintre).

5. Derain, *Lettres à Vlaminck*, Flammarion, 1955, p. 149 et 161.

6. Cette page sera ironiquement reproduite en janvier 1929 dans *les Arts à Paris*.

7. Lettre du 29 septembre 1905, citée dans P. Schneider, *Matisse*, Flammarion, 1984, p. 222.

8. Fourcade, 128.

9. « C'est au Salon d'automne 1905 que m'est venue l'idée de faire de la peinture... Oh ! c'est Matisse évidemment. Oui, c'est lui qui est à l'origine... ses toiles du Salon d'automne m'avaient beaucoup touché ; c'était une grosse affaire à l'époque, vous savez. Cela frappait beaucoup. » (*Entretiens avec Pierre Cabanne*, Belfond, 1967, p. 32-33.)

10. Fourcade, 117.

11. Bien que certains commentateurs considèrent l'ensemble du parcours matissien comme la déclinaison des possibilités du fauvisme, faisant de l'auteur de *la Raie verte* « le fauve par excellence », la plupart suivent ses propres analyses, quitte à lui reprocher d'avoir ensuite renoncé aux aspects les plus audacieux et « anarchistes » de sa peinture. A titre indicatif, on notera que l'exposition de 1966, présentée à Paris et Munich sur « le Fauvisme français et les débuts de l'Expressionnisme allemand », sélectionnait, de Matisse, des toiles réalisées entre 1896 et 1909.

12. Lettre à Manguin, citée par P. Schneider, *op. cit.*, p. 158.

13. Fernande Olivier, la compagne de Picasso, évoque ainsi Henri Matisse : « Le type du grand maître ; traits réguliers, belle barbe dorée... un abord sympathique. Il semblait se dérober derrière ses grosses lunettes, mais il s'animait dès que l'on parlait peinture. Alors il discutait, affirmait, voulait convaincre. » (*Picasso et ses amis*, Stock, 1933, p. 37.) Appréciation plus ambiguë chez Salmon : « Hôte intermittent de l'atelier de Picasso, Henri Matisse, peintre barbu à lunettes d'or, apportait dans la discussion un ton de sévérité, de " gravité professionnelle "... qui n'était pas celui de notre cercle. (Il) se défiait de nous. Je ne sais qui l'avait persuadé, bien à tort, qu'il trouverait au bout de nos doigts trace d'inscriptions farces s'étalant sur les murs de Montmartre : *Matisse rend fou !... Matisse a fait plus de mal que l'alcool !* » (*L'air de la Butte*, éd. de la Nouvelle France, 1945, p. 24-25.)

14. Interview par Laurence Bertrand Dorléac, *in Histoire de l'Art. Paris 1940-44*, Publications de la Sorbonne, 1987, p. 310. Cf. Picasso lui-même, cité par M. Pleynet (*Tel Quel* n° 37) : « Jamais personne n'a si bien regardé la peinture de Matisse que moi. Et lui la mienne. »

15. Matisse, *in* Escholier, *op. cit.*, p. 79.

16. Fourcade, 50. Léger, plus tard, déclare : « Il faut distraire l'homme de son effort énorme et souvent désagréable, l'envelopper, le faire vivre dans un ordre plastique nouveau et prépondérant », attribuant aussi à son travail le rôle d'un « calmant » sans provoquer la moindre réaction — mais c'est qu'il a la réputation d'être un peintre soucieux du « peuple » et que les sujets qu'il traite paraissent en effet, contrairement à ceux de Matisse, traversés par des préoccupations « sociales ».

17. Fourcade, 51.

18. Fourcade, 45.

19. Fourcade, 52. Matisse critiquera toujours l'intellectualisme des cubistes, qu'il perçoit comme un danger pour la peinture : « Pour moi,

c'est la sensation qui vient en premier, ensuite l'idée. Je vois un bouquet de fleurs, il me plaît, je fais quelque chose. Si les Cubistes conçoivent une idée pour se demander ensuite : " quelle sensation cela me donne-t-il ? " — eh bien je ne comprends tout simplement pas cette démarche » (1949, Fourcade, 96-97). Dès 1919, André Lhote remarquait que « où Matisse procède de la sensation à l'idée, les cubistes procèdent de l'idée à la sensation ».

20. Mêmes résistances en Belgique : à propos du Salon d'automne de 1913, G. Jean-Aubry s'interroge dans *l'Art moderne* : « Mais de Matisse, je ne dirai rien ; où cela va-t-il ? D'où cela part-il ? On ne sait. »

21. Il n'est évidemment pas le seul : dans son compte rendu du Salon d'automne de 1912 pour la revue russe *Apollon*, Tugendhold reconnaît certes que Matisse a du talent, mais le qualifie de faiseur d'affiches criardes.

22. Voir Raymonde Moulin : *Le marché de la peinture en France*, Minuit, 1967, p. 544 sqq.

23. « La peinture moderne. Les artistes veulent être payés davantage. Les journaux nous apprennent que les pièces détachées pour automobiles ont augmenté de quatre-vingt-huit pour cent. Matisse l'a été de soixante-quinze, me dit Georges Bernheim. » R. Gimpel, *Journal d'un collectionneur marchand de tableaux*, Calmann-Lévy, 1963, p. 169.

24. Lettre à Camoin du 1er mars 1912, Fourcade, 117.

25. Fourcade, 178.

26. Fourcade, 109.

27. « Notes d'un peintre sur son dessin », *le Point*, juillet 1939, Fourcade, 163.

28. Cf. Félix Fénéon : « Si devant un tableau de... Matisse, on objectait : il est inachevé — nous répliquerions : à quel moment un tableau est-il fini ? Question insoluble. Ce qui importe, étant vérifiable, c'est que le tableau ait été commencé, c'est-à-dire que son exécution ait été motivée par un problème de formes et de couleurs, bien net et qui lui soit propre. Dans ce sens, combien de tableaux en apparence finis n'ont jamais été commencés ? »

29. André Lhote, *la Peinture, le Cœur et l'Esprit*, Denoël, 1933, p. 37. Douze ans plus tard (exposition chez G. Petit), même reproche chez R. Gimpel : « Il y a là 35 ans de peinture et pas un chef-d'œuvre ; pas de tableau fini et le chef-d'œuvre est impossible dans le non-fini. Le non-

fini a empêché Matisse d'envelopper ses œuvres de beaucoup d'air et les chefs-d'œuvre en sont baignés » (*op. cit.*, p. 434). A quoi on peut répliquer, en complément à Fénéon ci-dessus, ce qu'Aragon écrit en 1972 : « Matisse a employé le *non-peint* comme une valeur en soi » (*Écrits sur l'Art moderne*, Flammarion, 1981, p. 268).

30. *Bulletin de la vie artistique* (galerie Bernheim-Jeune) n° 4, 15 janvier 1920.

31. Fourcade, p. 79 sq.

32. *L'Art vivant* n° 57, 1er février 1927.

33. Luc Benoist, *le Crapouillot*, novembre 1926.

34. Camille Mauclair, *la Farce de l'Art vivant*, éd. de la Nouvelle Revue Critique, 1930, p. 159-160. Des paragraphes entiers de cet ouvrage seront repris dans *la Crise de l'Art moderne* (1944), où Mauclair attaquera avec frénésie Picasso, Max Ernst, Braque, les marchands et critiques « juifs », sous prétexte de participer à sa façon à la dénonciation de l'art « dégénéré ». L'honnêteté oblige à constater que Matisse est cette fois épargné.

35. *A louer*, trad. P. Michel-Cote, Calmann-Lévy, 1932, tome I, p. 96.

36. À Tériade, Fourcade, 108.

37. Note de Matisse dans Escholier, *op. cit.*, p. 126.

38. *In* A. Verdet, *Prestiges de Matisse*, cité par Escholier, *op. cit.*, p. 128.

39. À Tériade, Fourcade, 125.

40. Il ne se prive pas, au retour, des formules toutes faites : « Les Tahitiens sont comme des enfants. Ils n'ont pas le sentiment de ce qui est défendu, ni la notion du bien et du mal... Les filles de Tahiti conservent leur nature sauvage et ignorante sous leurs modes fragiles de Paris... », Fourcade, 108.

41. Matisse, dans Escholier, *op. cit.*, p. 127.

42. Fourcade, 106.

43. Fourcade, 140.

44. Fourcade, p. 145-46.

45. Fourcade, 143.

46. Au point que, dans le catalogue de l'« Exposition des artistes du Livre et de l'Imprimerie » qui se tient au musée des Arts décoratifs du 5 décembre 1944 au 24 janvier 1945, Matisse est simplement qualifié d'« illustrateur-graveur »...

47. Escholier, *op. cit.*, p. 153.

48. Catalogue de l'exposition « Les chefs-d'œuvre des collections françaises retrouvés en Allemagne par la Commission de récupération artistique et les Services alliés », Orangerie des Tuileries, juin-août 1946, p. 19-20 et 59.

49. Laurence Bertrand Dorléac, *op. cit.*, p. 158.

50. Lettre à Pierre Matisse, 1er octobre 1940, Fourcade, 50-51.

51. Ce souci d'archiver les étapes du travail est amplement illustré dans l'ouvrage de Lydia Delectorskaya : *l'apparente facilité... Henri Matisse* éd. Adrien Maeght, 1986. Mais on le rencontre aussi dans un ouvrage beaucoup plus modeste : le *Matisse* de Georges Besson, paru chez Braun en 1950, et dont de nombreuses reproductions présentent des toiles (repérables à leur datation sur le cliché et à leur absence de signature) dans des états qui n'existent plus. Il est d'autre part notable que, de ce petit livre en noir et blanc, le choix des œuvres a été fait par Matisse lui-même, qui s'est montré très attentif à les présenter par doubles pages, les rassemblant moins en raison des motifs représentés qu'en fonction de ce que le noir et blanc maintient de leurs valeurs : façon de confirmer le soin apporté à toute présentation de son travail, mais aussi que l'espace interne d'un livre, même modeste, n'a rien de neutre.

52. *Henri Matisse, roman*, p. 93.

53. Fourcade, 162.

54. Note de Matisse dans *Henri Matisse, roman*, p. 82.

55. A. Verdet, *Prestiges de Matisse*, Émile Paul, 1952, p. 51.

56. À A. Lejard (1951), Fourcade, 243.

57. Lettre à Louis Aragon, *in Henri Matisse, roman*, T. I, p. 187-188.

58. Fourcade, 268.

59. Fourcade, 257-58.

60. Fourcade, 319.

61. Fourcade, 266.

62. Très différente est par exemple la simple participation de Matisse (et de Léger, Rouault, Bonnard, Lurçat ou Bazaine) à l'église d'Assy : il s'agit simplement d'intervenir dans le cadre d'une architecture préexistante. Matisse y fait installer une version de saint Dominique.

63. Fourcade, 273.

64. Fourcade, 266-67.

65. *Candide* du 24 février 1943, cité par Escholier, *op. cit.*, p. 208.

66. À André Verdet, *in XXe siècle* n° 35, 1970.

67. Fourcade, 249.

68. Lettre à Rouveyre du 25 décembre 1947, Fourcade, 241.

69. À A. Lejard (1951), Fourcade, 252.

70. Lettre à Aragon de 1942, *in Henri Matisse, roman*, p. 207.

PLANCHES

1. NATURE MORTE D'APRÈS « LA DESSERTE » DE DAVID DE HEEM, 1893

Dans la série des copies que Matisse va exécuter au Louvre (Raphaël, Poussin, Carrache, Philippe de Champaigne) et sur lesquelles il lui arrive de travailler très longtemps (six ans pour *la Raie* de Chardin), cette *Desserte* de De Heem occupe une place doublement à part : alors que la peinture française du xviii⁰ siècle (Fragonard, Chardin...) connaît un important succès public grâce à sa promotion dans les Expositions internationales, David de Heem lui fournit un modèle pour le traitement des valeurs au moins autant que pour la complexité dans la construction des plans et des volumes. Mais surtout, ce thème de *la Desserte* ainsi inauguré par une copie, va revenir périodiquement chez Matisse, pour être bien entendu traité de façon de plus en plus originale (pl. 2, 13, 29).

Quant à la « fidélité » de la copie par rapport à l'original, Matisse a lui-même souligné qu'elle était toute relative : « Les travaux qui obtenaient le plus de succès devant la commission d'achat (de l'État) étaient ceux qu'exécutaient les mères, les épouses et les filles des gardiens du musée. On n'acceptait nos copies que par charité... J'aurais aimé faire des copies littérales comme les mères, les épouses et les filles des gardiens, mais j'en étais incapable. Ce qui est pris pour de la hardiesse n'était que le fait d'éprouver de la difficulté à faire telle ou telle chose. C'est ainsi que la liberté est en réalité l'impossibilité de suivre la voie empruntée par tout le monde ; la liberté consiste à suivre le chemin que vos qualités vous inclinent à prendre » (Fourcade, 114-115).

2. LA DESSERTE, 1897.

Commencée au début de l'hiver 1896, donc après les voyages en Bretagne, cette toile témoigne chez Matisse d'une volonté d'éclaircir sa palette en même temps que de montrer (dans le rendu des fruits ou de la verrerie) un incontestable savoir-faire, capable de persuader le jury du Salon, qui n'acceptera pourtant cette *Desserte* qu'après de fortes réticences. Il faudra que Gustave Moreau insiste : « Laissez faire, ces carafes sont bien d'aplomb sur la table et je puis poser mon chapeau sur leurs bouchons. C'est l'essentiel. » Ce qui pouvait choquer tient en trois aspects principaux : une affirmation de la touche pour elle-même (qui peut provenir de l'impressionnisme), une composition qui n'hésite pas à tronquer le motif au premier plan en offrant sur la table mise une perspective fuyante, et surtout un usage de la couleur qui tend vers sa libération. Ainsi, le bouchon de la carafe la plus proche semble contenir en puissance le déferlement des couleurs du fauvisme, et les reflets de l'eau, dans la seconde carafe, ne peuvent sans doute pas être produits par les seuls fruits situés à droite.

« C'était, rappelle Matisse, le moment où sévissait dans le public la terreur des microbes. On ne vit jamais autant de fièvres typhoïdes. Le public trouvait qu'il y avait des microbes au fond de mes carafes ! » (Fourcade, 82.) D'un point de vue plus professionnel, Pissarro lui fera remarquer que ce n'est pas avec du blanc qu'on fait de la lumière — et Matisse s'en souviendra.

3. NATURE MORTE ORANGE À CONTRE-JOUR, 1899.

Peint à Paris au retour de Toulouse, ce tableau résume et condense toute une série d'œuvres effectuées à Toulouse sur le même thème. Matisse y affirme sa volonté de construire la toile par la couleur, qui garde le souvenir de l'« éblouissement » suscité par le Sud. La composition de la nature morte est elle-même assez traditionnelle, proche de celle que pratiquent Vuillard et les Nabis — mais l'adoption d'un point de vue élevé permet de raccourcir la profondeur du champ.

Par ailleurs, la représentation est structurée — par-delà la largeur de la touche — en surfaces colorées, à la fois cernées et juxtaposées, et dont chacune offre de riches superpositions de pigments et de matières. Alors même que le motif est modeste et ses objets très quotidiens, une impression d'opulence et de chaude intimité est suscitée par la couleur — et en particulier par l'orange qui ne tardera pas à passer pour la couleur (ou le fruit) symbolique de Matisse.

4. INTÉRIEUR À L'HARMONIUM, 1900.

Cette toile, comme une *Nature morte à la soupière* de la même année ou *Madame Matisse en Japonaise* (1901), témoigne d'un moment où Matisse accentue dans ses compositions les effets de perspective amorcés dès *la Desserte* de 1897 (pl. 2) pour en souligner les paradoxes. Alors que les obliques de l'harmonium définissent un espace de représentation « en creux » dont participe également la housse du fauteuil qui, à l'arrière-plan, fait reculer hors de la surface peinte les limites de la pièce, les deux fleurs roses sont au contraire présentées frontalement, dans le plan même du tableau. Le regard se trouve ainsi partagé entre une surface qui n'expose que sa platitude et un espace illusionniste à l'intérieur duquel la chaise a du mal à trouver son lieu propre : elle ne se stabilise que grâce aux dégradés de la couleur du fond, eux-mêmes posés de telle façon que l'angle du plancher et du mur soit indiscernable et que s'y substitue plutôt l'impression d'une courbure de l'espace.

Ce conflit entre le plan de la représentation et l'illusion de l'espace a comme conséquence le rattachement du siège à la fleur de droite, à laquelle il apporte comme un halo.

La constitution d'un espace inédit préoccupe à l'époque Matisse au point que la figuration évacue tout souci du détail : les objets sont silhouettés en très larges touches qui suffisent à en indiquer la présence massive. Le problème est bien d'installer ces masses dans un espace qui puisse trouver son homogénéité picturale, et non de copier le visible.

Ce tableau a toujours été conservé par Matisse, et finalement offert au musée Matisse de Nice.

5. LUXE, CALME ET VOLUPTÉ, 1904.

Dès 1902, Matisse a été fortement intéressé par le travail de Signac, dont le pointillisme initial admet désormais une touche plus large, en mosaïque, tout en maintenant strictement ses principes sur la décomposition de la couleur. C'est précisément chez Signac, au cours de l'été 1904, qu'il élabore *Luxe, Calme et Volupté*, d'abord simplement intitulé *Baigneuses* (un titre renvoyant plutôt à Cézanne...), et qui constitue sa première composition non prise sur le vif : précédée de dessins qui en précisent certains éléments (le golfe de Saint-Tropez, le pin de droite), elle est d'abord esquissée sur carton en grandeur définitive, puis reportée sur toile par le vieux procédé du poncif. Il reste alors à ajouter la couleur, pour laquelle Matisse choisit d'adopter les théories divisionnistes, dont il reconnaîtra très vite qu'elles ne lui conviennent guère, aboutissant en l'occurrence à maintenir une différence d'intention entre le dessin (qui « dépend de la plastique linéaire ou sculpturale ») et la peinture (qui « dépend de la plastique colorée »). D'où des infidélités à la position de Signac — interdisant théoriquement le recours au trait, ici bien présent pour cerner les corps ou les tasses du premier plan — et des « maladresses » (notamment dans l'évocation des nuages et une certaine raideur générale des attitudes).

Il n'en reste pas moins que cette toile paraîtra suffisamment convaincante à Signac lui-même pour qu'il s'en porte acquéreur, et que, pour l'œuvre à venir de Matisse, elle importe par deux aspects fondamentaux : la disposition de la peinture en mosaïque le ramène au plaisir d'une gamme de couleurs franches, et surtout, cette première mise en scène de nus féminins (dont les postures, au plus loin de la « pose » académique, dénoncent aussi l'hypocrisie de la peinture officielle) inaugure une thématique relative au bonheur d'une humanité originellement « innocente », à un « âge d'or » extra-historique où la pensée et la sensibilité peuvent se ressourcer.

6. FEMME AU CHAPEAU, 1905.

Ce portrait de Mme Matisse fait partie des toiles scandaleuses du Salon d'automne de 1905. Outre que le portrait, suivant l'indifférence aux personnages officiels ou célèbres qui constitue déjà à l'époque une tradition dans la peinture moderne, évoque une personne relevant de l'intimité familiale, c'est évidemment son traitement pictural qui parut d'une insupportable violence.

La touche est franche et épaisse, elle suffit à construire un visage et un buste par ses seules oppositions, sans recours au dessin du contour — c'est la couleur qui dessine — et indépendamment de tout réalisme local. Les traits vigoureux qui construisent le visage (vert qui souligne le front et le nez et sépare, comme dans l'autre portrait de Mme Matisse de la même année qu'est *la Raie verte*, le visage en un côté sombre et un côté lumineux, rose et vert pâle qui marquent le maxillaire) ne se réfèrent à rien de « réel » mais affirment l'autonomie de la peinture elle-même — tout comme la complexité du chapeau : montage de fruits et légumes qui le transforme en nature morte que seule la présence fortement affirmée, par des couleurs voisines, du bras et du haut de la robe, empêche de devenir trop indépendante.

Le fond sur lequel s'inscrit la figure, traité à vastes coups de brosses, ne doit sa coloration diversifiée, également non référentielle, qu'aux accords qu'il s'agit d'établir sur la totalité de la surface : la peinture ne maintient avec le visible quotidien qu'une relation très lâche, y trouvant un simple point de départ pour s'élaborer comme art « pur » — mais capable de susciter chez le spectateur une émotion comparable à celle que provoqua, dans le vécu du peintre, la présence du modèle.

7. LA SIESTE À COLLIOURE, 1905.

Véritable harmonie en rouge, bleu-vert et rose, cette scène d'intérieur dont la matière est maigre, et laisse par endroits affleurer la texture de la toile, ne présente l'ouverture sur le paysage que par une perspective raccourcie qui transforme la fillette au balcon en une sorte de tableau dans le tableau, alors que le petit format accroché au-dessus du lit n'est pas identifiable.

La lumière est traitée de façon paradoxale : d'un côté, elle entre dans la pièce, comme il est normal, par la fenêtre ; mais elle investit aussi les murs par le recours aux couleurs claires, non réalistes. Toutefois, la silhouette de la dormeuse est anonyme et les traits de son visage restent indiscernables, comme si elle sommeillait dans l'ombre.

Matisse détermine ainsi les effets de la lumière solaire par des tons sombres (bord droit de la fenêtre et rideaux), et la pénombre par des tons légers. Mais la performance du coloriste se situe également dans sa science des rapports existant entre une zone et ses voisines : ainsi le rouge de la robe est le même que celui du sol au premier plan, mais on ne le vérifie qu'à la condition de masquer ce qui les sépare. C'est précisément parce qu'ils sont posés dans des rapports avec les couleurs environnantes (orange et tons pâles pour la robe, couleurs plus soutenues pour le sol) qu'ils apparaissent différents pour l'œil.

8. LES TAPIS ROUGES, 1906.

Dans l'œuvre de Matisse, les tableaux où les tissus jouent un rôle de premier plan sont extrêmement nombreux : ils le fascinent par leurs motifs, mais aussi par les disharmonies que peut produire leur mélange et qu'il s'agit alors de transcender. Il n'y parvient sans doute pas totalement dans cette toile — et d'autant moins que les objets intégrés dans la composition (assiette de fruits, melon, etc.) affirment des présences autonomes (ainsi D. Fourcade peut-il souligner que l'assiette de fruits « est à elle seule une unité fauve* »). Par ailleurs, le tapis propose par lui-même une frontalité (ou une « platitude ») dont Matisse, alors même qu'elle va dans le sens de la peinture telle qu'il la conçoit à l'époque, ne tire pas ici parti puisque, si le tapis accroché au mur est bien plat, ceux qui recouvrent le canapé sont au contraire présentés en perspective et creusés de plis qui rétablissent dans le tableau un espace illusionniste.

Tout le pari chromatique de cette composition tient évidemment dans la coexistence des différents rouges et des différents verts — et il n'est pas sûr qu'il soit complètement gagné. En revanche, la dissémination des points de couleurs sur les tapis placés horizontalement permet de les unifier par une sorte d'échange de leurs qualités.

* Catalogue *Matisse au musée de Grenoble*, 1975.

9. LA JOIE DE VIVRE, 1906.

Il s'agit ici d'un des nombreux travaux préparatoires — en l'occurrence aux crayons de couleurs et particulièrement poussé — pour la toile du même titre qui est la plus grande composition (174 × 238 cm) jusqu'alors entreprise par Matisse. Une esquisse (musée de Copenhague), peinte en 1905, à larges touches mosaïquées, permet d'affirmer que le paysage représenté a initialement été pris sur le vif, quitte à être ensuite épuré pour que puissent y occuper convenablement leur espace propre les figures qui renvoient — comme dans *Luxe, Calme et Volupté* (pl. 5) et en s'autorisant également un recours massif au nu — à une scène relevant d'une mythologie rêvée (à nouveau l'Âge d'or) autant que culturelle.

Cette pastorale où se rassemblent des allégories des arts (musique et danse) et des plaisirs (beauté du corps et amour) vibre d'échos multiples, aussi bien littéraires (*Daphnis et Chloé* ou Virgile) que picturaux (Moreau ou Ingres) : de ce point de vue, la signification de la composition est trop lourdement culturelle pour être originale. Sa force vient donc en fait de son traitement formel, par où se marque l'appropriation du mythe par le peintre : importance primordiale des arabesques caressantes qui unifient les figures et le paysage, rôle des cernes soulignant les deux figures allongées au centre, qui se justifient plus par l'organisation générale de la surface que par des considérations anatomiques, franchise des couleurs (en vastes aplats dans la toile) et diversité des attitudes contribuent à susciter l'impression d'un bonheur à la fois désirable et perdu, d'une innocence archaïque à jamais enfuie. On retrouvera cet Âge d'or dans la thématique de Matisse, et plus précisément dans des œuvres auxquelles cette *Joie de vivre* aura servi de matrice — notamment grâce à la ronde esquissée dans le lointain (cf. pl. 10, 12, 15, 22).

10. NU BLEU (souvenir de Biskra), 1906.

Reprenant une figure centrale de *la Joie de vivre*, cette toile est une des plus violentes peintes en 1906 : l'arbitraire du bleu (qui se trouvera pleinement déployé dans les *Nus bleus* de 1952, pl. 47) s'ajoute à la torsion imposée au corps pour susciter une ambiance « érotique » que souligne de son côté l'usage d'une touche elle-même agitée, comme convulsive. De plus, les corrections de l'anatomie restent parfaitement visibles, formant un halo qui projette le nu vers le spectateur, alors même que le visage paraît au contraire exprimer une certaine réserve.

Seul le décor (palmiers, feuilles de figuier), traité en arrière-fond comme la seule partie où la couleur est admise à chatoyer, justifie le sous-titre indiqué entre parenthèses — mais il révèle que la toile cristallise deux thèmes matissiens : la mise en forme du mythe édénique et l'utilisation différée de souvenirs de voyage.

En 1907, Matisse réalisera d'ailleurs, à partir du même « souvenir », plusieurs sculptures qui se trouvent figurées, de 1908 à 1924, dans au moins neuf tableaux.

Matisse a beaucoup pratiqué l'autoportrait — bien qu'assez rarement sur toile — se considérant dans la glace comme un modèle non privilégié, exigeant le même genre de travail que n'importe quel autre : émotion et intériorisation.

Aussi cette toile ressortit-elle évidemment à la même esthétique que ses contemporaines : couleurs franches, touche rapide et autoritaire, usage d'un vert marquant front, nez et joue comme dans les portraits de Mme Matisse en 1905 (pl. 6). Mais elle offre de surcroît une des rares représentations du peintre en tenue « négligée », le maillot de marin constituant un souvenir de vacances qui contribue en l'occurrence à évoquer un explorateur audacieux.

Ce qui, du point de vue de l'artiste lui-même, s'affirme dans cet *Autoportrait*, c'est d'abord une volonté sans faille : cette tête, d'une puissance sculpturale et dont l'énergie se concentre dans un regard qui convoque fermement le spectateur, paraît prête à défier toutes les adversités, en même temps qu'elle rassemble bon nombre d'allusions à l'histoire de l'art (de Byzance à Cézanne) pour s'inscrire dans leur continuité en les dépassant. Car la modernité que travaille Matisse ne se fonde pas sur la simple négation de ce qui l'a précédé : ce n'est qu'après l'avoir assimilé qu'elle peut se dégager de son influence.

Henri-Matisse

12. LE LUXE I, 1907.

D'abord exposé au Salon d'automne en tant qu'esquisse de la seconde version de 1908, *le Luxe I* a été réalisé à Collioure pendant l'été 1907 avec la même technique classique (dessins, fusain préparatoire également dans les collections du Musée national d'art moderne, puis poncif ou piquetage pour le report sur toile) que *la Joie de vivre* et, auparavant, *Luxe, Calme et Volupté*. Ce retour à un « faire » académique coïncide donc une fois de plus, dans une œuvre de grandes dimensions, avec une exploration du nu, qui s'effectue ici sous le double patronage de Gauguin et de Puvis de Chavanne : en fait, le fauvisme de Matisse est aussi une façon de régler ses comptes avec ses maîtres — en montrant qu'une mise en forme autre insuffle une signification nouvelle à leur thématique.

Ces trois figures féminines en bord de mer participent de la même ambiance édénique que celles de *la Joie de vivre* : extase intemporelle, grâce des attitudes et des mouvements, euphorie de la couleur. La monumentalité ne relève pas seulement des dimensions : elle est d'abord question de simplicité et d'équilibre, d'osmose entre personnages et paysage, d'une présence plastiquement équivalente de tous les points de la surface.

13. LA DESSERTE ROUGE, 1908.

Le motif de *la Desserte* de 1897 (pl. 2), déjà présent dans une *Serveuse bretonne* de 1896, subit ici une transformation radicale : le thème n'est plus que prétexte à déploiement d'arabesques et de couleurs pures — suscité indépendamment de toute vraisemblance par la prolifération d'un tissu qui couvre uniformément le mur et la table (dont le volume, au premier plan, n'est indiqué que par une courbure du motif) de telle façon que l'espace de la pièce se transforme en véritable fresque. Le paysage dans la fenêtre n'y introduit aucune profondeur puisqu'il est lui-même traité frontalement — au point qu'on pourrait très bien n'y voir qu'un tableau encadré. Dans ce dispositif général où la serveuse se réduit à un ensemble de courbes répondant au mouvement des arbres, et dont le chemisier foncé vient équilibrer l'intrusion massive du vert par le paysage, certaines ponctuations colorées introduisent des rythmes locaux (les fleurs jaunes du pré se prolongent dans celles du bouquet, le triangle du présentoir, des carafes et des fruits reprend le même jaune, en même temps que l'ocre de la coiffure et de la chaise), qui font contrepoint aux larges motifs en S du tissu.

Cette *Desserte rouge* a connu deux états antérieurs : d'abord d'un vert assez froid, puis en bleu (couleur initiale de la toile de Jouy utilisée comme modèle) — alors destiné à la salle à manger de Chtchoukine, et exposé comme *Harmonie en bleu* au Salon d'automne de 1908. Cette évolution de la toile indique clairement que pour Matisse l'unité de la peinture provient, non de la fidélité aux apparences, mais bien d'une construction par les rimes formelles et les accords des couleurs.

14. NATURE MORTE CAMAÏEU BLEU, 1909.

Le tissu qui sert ici de fond à la nature morte est le même — avant transformation — que celui de *la Desserte rouge* (pl. 13), dont cette toile constitue une sorte d'annexe — mais son motif est traité de manière particulièrement ample.

Selon un dispositif que Matisse utilise à l'époque dans plusieurs tableaux, la surface du tissu désigne, sans pli ni cassure, aussi bien le mur vertical qu'une surface horizontale, produisant un espace courbe sur lequel les objets viennent s'incruster sans ombre portée — ce qui a pour effet de donner autant d'importance au fond qu'aux éléments de la nature morte, dont les couleurs sont de surcroît altérées en fonction des harmonies nécessaires (il n'y a par exemple rien de « métallique » dans la chocolatière).

Ainsi l'espace perspectiviste n'est-il évoqué très allusivement que par la déformation du motif dans la partie inférieure — et par l'angle du tissu, à droite de la toile, que souligne la différence de coloration du mur et de la table : dès que le regard se détourne de cette échappée hors du motif imprimé, il est à nouveau happé par ce dernier et tend nécessairement à confondre les deux toiles (l'imprimée et la peinte) dans une même frontalité.

15. LA DANSE, 1909.

Première version de l'un des panneaux commandés par Chtchoukine — que Matisse commente ainsi : « Il y a trois étages. J'imagine le visiteur qui vient du dehors. Le premier étage s'offre à lui. Il faut obtenir un effort, donner un sentiment d'allègement. Mon premier panneau représente *La Danse*, cette ronde envolée au-dessus de la colline » (pour le deuxième étage, ce sera « une scène de musique avec des personnages attentifs », pour le troisième, une « scène de repos »* qui deviendra *les Demoiselles à la rivière*, pl. 32).

Cette ronde est un agrandissement de celle qui figure à l'arrière-plan de *la Joie de vivre* (pl. 9), ce qui confirme le retour d'une peinture « édénique ». Les six figures initiales sont ramenées à cinq, de façon à dynamiser l'ovale que forment les corps, à y introduire une tension, marquée par l'écart entre les deux mains inscrites sur la plus forte diagonale (bras droit, puis bras gauche, buste et jambe droite des deux corps les plus proches). Les trois couleurs, portées à leur intensité maximale et largement brossées, confirment la signification dionysiaque de la composition — tandis que l'affleurement de la toile, par endroits, sur la ligne qui cerne les corps, préserve une sensibilité pour ainsi dire tactile, absente de la seconde version.

Ainsi le mythe devient-il proche, et prétexte à ce que Pierre Francastel nomme « une expérience polysensorielle immédiate » : regard et mouvement, mais aussi musique première du martèlement des pieds sur la terre. En fermant leur cercle rituel, ces corps proposent à celui du spectateur d'éprouver sa propre énergie.

* *Les Nouvelles*, 12 avril 1909.

16. CYCLAMEN POURPRE, 1911.

Rien de plus quotidien que le thème de cette toile : un pot de fleurs sur une table de jardin... Mais simplification, exagération des formes et couleurs transcendent le motif, en mettant en scène une série de contradictions qui font du tableau un champ de fortes tensions.

Ici, l'ovale perspectiviste du guéridon est doublement contredit : par la représentation frontale du cyclamen, mais aussi par le découpage du fond en zones colorées sans aucune vocation représentative. Par ailleurs, le pot, la tablette et les pieds du guéridon sont ramenés à des surfaces privées de relief, ce qui tend à les rapprocher du fond. Seule la plante bénéficie d'une figuration relativement précise, qui est surtout l'occasion d'une prolifération venant s'opposer à l'ampleur des autres formes. L'équilibre est ainsi conquis aussi bien par la gamme des couleurs et la façon dont des couches inférieures transparaissent à travers les ultimes coups de pinceau que par l'importance égale attribuée à tous les endroits de la surface : de ce point de vue, l'harmonie des deux zones circulaires vertes avec les fleurs, par-delà le bleu qui les sépare, est essentielle.

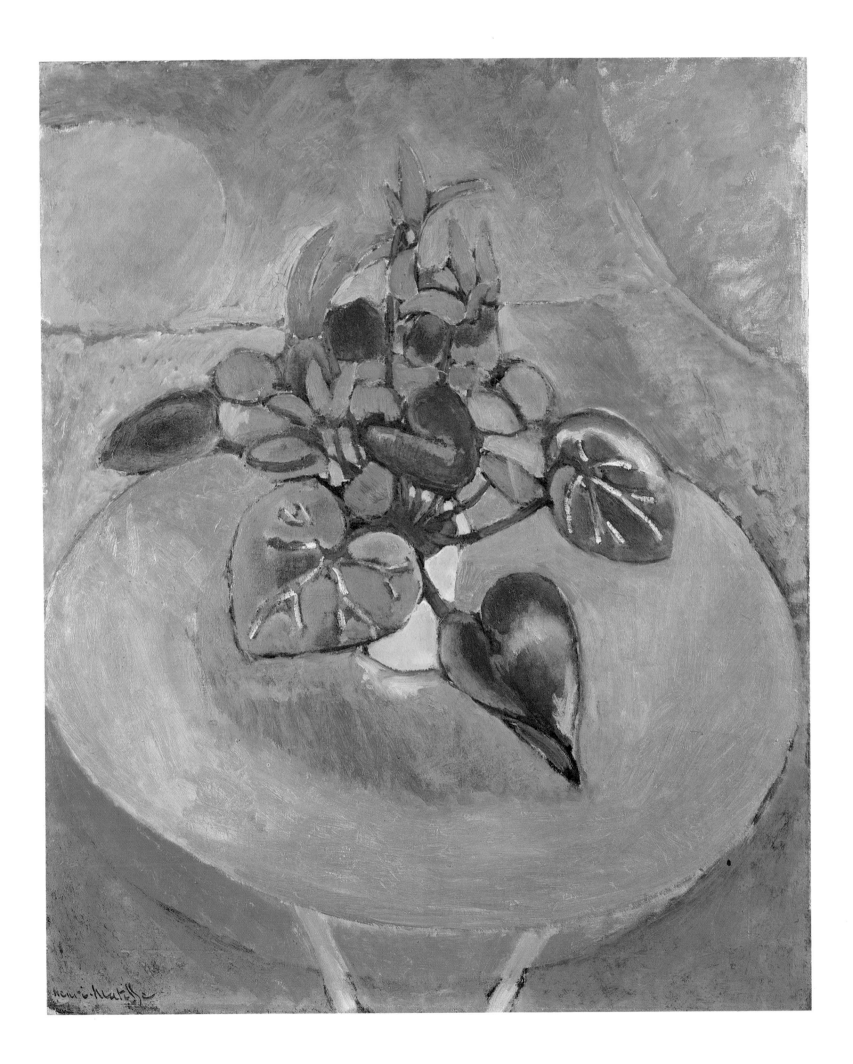

Toute vue d'atelier permet traditionnellement, à un peintre, d'affirmer les caractères spécifiques de son art. *L'Atelier rouge* n'échappe pas à cette règle — et en tire même toutes les conséquences, puisqu'il explicite magistralement les deux principes auxquels obéit en 1911 le travail de Matisse : le tableau (n')est (qu')une surface indépendante de la réalité quotidienne et de sa perception ; c'est la couleur qui doit exclusivement imposer son ordre sur cette surface.

L'Atelier est un lieu clos, sans échappée sur le monde extérieur et uniquement consacré à l'art : d'où la constitution de l'anthologie qu'il présente — sculpture (dont *la Serpentine*), céramique (l'assiette ornée d'un nu du premier plan, avec le motif à cinq pétales qui gagnera — au-delà du *Nu à l'écharpe blanche* de 1909 ici représenté et ultérieurement détruit — toute la surface de l'*Intérieur aux aubergines* ; pl. 19), peinture (*Luxe II, Cyclamen pourpre, Marin, Nymphe et Faune* de 1908...) ramenée au statut bidimensionnel de l'image et à chaque fois interprétée en fonction de la couleur dominante. A quoi s'ajoutent les outils de l'art (chevalet, cadres, sellettes) eux-mêmes voués au rouge qui envahit la toile et les dévore puisqu'ils n'y sont dessinés qu'en réserve, de même que le mobilier et les lignes de perspective : ainsi esquissée, celle-ci n'est donc qu'un souvenir sur lequel la couleur n'en finit pas de l'emporter, exprimant la jubilation sereine de celui qui a la certitude d'élaborer un univers désormais autonome et incontestable, sur lequel sa maîtrise est complète.

18. LA CONVERSATION, 1911.

Bien qu'apparemment influencée par l'art byzantin dans le choix et la saturation de ses aplats bleu, vert et rouge, cette toile a été réalisée en 1911, avant le voyage à Moscou où Matisse passera de nombreuses heures devant les icônes, et par référence à ce que le peintre pouvait deviner de Byzance depuis les expositions de 1903 (Paris) et 1908 (Munich). Le sujet apparent est une fois de plus banalement bourgeois : le peintre et son épouse dans leur intimité d'un matin. Mais il est transcendé par l'organisation formelle de la toile, où s'opposent en échos les droites et les courbes (l'homme et la femme, le cadre de la fenêtre et son balcon, l'arbre et les massifs), construisant une structure unifiante au-delà de la dualité des figures.

C'est la fenêtre qui occupe la place centrale, « interrompant » la conversation qu'indique le titre en montrant le lieu (l'atelier au fond du jardin) où a été élaborée la représentation : l'art impose le silence, parce qu'il est la forme moderne du sacré ; et Pierre Schneider, montrant que cette toile superpose, dans sa composition, des souvenirs classiques (des *Époux Arnolfini* de Van Eyck à l'*Annonciation* de Fra Angelico) peut à juste titre la définir comme « une icône moderne ». « Le sentiment pour ainsi dire religieux... de la vie » qui habite Matisse confirme le caractère ambigu de toute sacralité : elle attire et fascine comme le paysage que nous offre l'ouverture à travers le bleu, mais, simultanément, elle implique une exigence terrorisante — celle même que vit Matisse à l'époque, avec son cortège d'angoisses, d'insomnies et de difficultés dans la vie familiale.

19. INTÉRIEUR AUX AUBERGINES, 1911.

Dans cette toile capitale, Matisse résume toutes ses recherches de l'époque tendant à la constitution d'une peinture noblement décorative, c'est-à-dire capable d'unir un sens oriental du décoratif (cf. pl. 8) et le souci occidental du réalisme. L'*Intérieur aux aubergines* s'impose d'abord au regard avec une telle évidence qu'il est nécessaire d'en décomposer les éléments si l'on veut pleinement mesurer l'audace avec laquelle Matisse y pousse le plus loin possible les contradictions formelles et de composition.

L'unité du tableau — mais aussi la force égale de toutes ses parties — est garantie par la surabondance des éléments décoratifs (tissus, arabesques du paravent, clématites géantes qui envahissent la surface au mépris de toute perspective réaliste et se trouvent encadrés, à gauche, comme un tableau autonome) qui contestent l'importance de la nature morte centrale (sujet suffisant pour la peinture traditionnelle). Alors même que la planéité est affirmée par le motif quintefolié, Matisse s'autorise le rappel, comme ironique, de la construction classique de l'espace par quelques obliques, mais le paysage-tableau inscrit dans la fenêtre ne propose en revanche aucun « creux » illusoire. L'articulation des plans et des surfaces est d'autant plus complexe qu'elle est brouillée par les rimes locales de la couleur, mais aussi par la mise en miroir d'une variante simplifiée de la nature morte. Il est également notable que, du paysage de droite, rien ne se prolonge dans l'ouverture indiquée derrière le paravent.

La composition est ainsi définie implicitement comme un champ de luttes toujours ouvert entre surface et profondeur, souci réaliste et ambition décorative. Dans son état initial, elle était entourée d'une bordure (de 17 centimètres de large) où se répétait le motif des clématites — bordure que Matisse a supprimée lui-même, peut-être parce qu'elle accordait une trop nette victoire au seul décoratif.

20. LES POISSONS ROUGES, 1911.

Comme les fleurs et les plantes, les poissons rouges constituent un thème fréquemment traité par Matisse : c'est que leur présence, dans un bocal transparent, peut symboliser la liberté de la couleur pure par rapport à la matérialité des corps et objets habituels, en même temps qu'elle souligne l'équivalence de la surface et de la représentation.

C'est en conséquence à partir de barres rouges indiquant les poissons que se diffuse ici l'« émotion » chère au peintre — par leur doublement approximatif dans les reflets à la surface de l'eau, puis, à travers des cercles successifs que suffit à signaler celui du guéridon et que généralise la courbe d'un banc ou fauteuil de jardin à gauche, jusqu'à la prolifération formelle des feuilles et l'effervescence colorée des fleurs qui se répondent dans la moitié droite de la toile.

Le point de vue plongeant autorise une fois de plus (cf. pl. 4) un basculement de l'espace pictural, au terme duquel le fond prend la même importance que le premier plan.

21. LA FENÊTRE BLEUE, 1912.

Dans la peinture classique, la fenêtre offre l'occasion, depuis la Renaissance, d'ouvrir la représentation sur un espace extérieur où règne souverainement l'illusion perspectiviste. Pour ce faire, elle doit bien entendu être nettement perçue comme telle, c'est-à-dire inscrite dans la composition comme un trou dans la matérialité d'un mur. Tel était le cas dans *la Conversation* (pl. 18).

La solution ici adoptée par Matisse s'y oppose triplement, puisqu'elle souligne la continuité entre extérieur et intérieur, au point que la baie se trouve réduite à une barre noire — que rien n'oblige d'ailleurs à interpréter immédiatement comme signe d'un châssis puisqu'elle est graphiquement liée à l'arbre.

La continuité évoquée à l'instant se manifeste d'abord par la dominante bleue. Ensuite par la bande verticale de gauche qui annule toute perspective. Enfin par les échos de couleurs et de formes qui font communiquer l'espace du dehors et celui du dedans : l'ocre d'un toit lointain est quatre fois repris à l'intérieur, les branches-boules correspondent aux cercles de la fleur rouge, du napperon et de l'assiette, le décor du vase de gauche consonne avec l'éventail des branches de droite.

Ce qu'indique un tel dispositif, plus encore que l'homogénéité des espaces, c'est bien la capacité de l'esprit à percevoir, non pas les choses isolément, mais, comme entend le faire Matisse, les rapports entre les choses.

22. CAPUCINES À « LA DANSE », 1912.

Dès 1909, Matisse intègre la première version de *la Danse* (pl. 15) dans une lumineuse *Nature morte à « la Danse »* (musée de l'Ermitage, Leningrad) qui inaugure la représentation, dans un tableau, de sa propre production. De cette peinture en abyme, Matisse, au-delà du plaisir de l'anthologie (cf. *l'Atelier rouge*, pl. 17) et de l'affirmation d'une équivalence, en tant que « motifs », entre l'art et le réel, va de plus en plus nettement déduire la possibilité d'exécuter des « variantes » de ses toiles.

Placée en oblique contre un mur, *la Danse* perd du caractère sacré initialement conféré par sa frontalité — ce que confirment la sellette et les capucines, dont la quotidienneté contredit toute allusion à l'Âge d'or, cependant que le fauteuil du premier plan vient raviver la comparaison de la peinture (et donc de *la Danse* elle-même) avec un « bon fauteuil ». Cette « laïcisation » du thème en autorise une version différente, dont l'évocation de la terre a notamment disparu, et dans laquelle la tension des corps se trouve assouplie, mais accompagnée d'un effet pour ainsi dire « cinétique » par la trace des corrections apportées à la toile : la mémoire de la peinture (elle-même dédoublée puisque toute retouche faite à cette représentation de *la Danse* est simultanément inscrite dans les *Capucines à « la Danse »*) coïncide avec celle du mouvement figuré.

23. PORTRAIT DE MADAME MATISSE, 1913.

Peut-être commencé en 1912, ce *Portrait* a exigé plus de cent séances de pose dans le jardin d'Issy-les-Moulineaux. « Parfait exemple de l'œuvre-événement », selon André Breton qui, bien que ne l'ayant jamais revu depuis le Salon d'automne de 1913 où il remporta un grand succès, en gardait quarante ans plus tard un souvenir précis, il fut très vite acquis par Chtchoukine.

Relativement aux portraits antérieurs (notamment à la *Femme au chapeau* de 1905, pl. 6, ou à l'*Autoportrait* de 1906, pl. 11) celui-ci insiste sur l'aspect décoratif de la peinture (harmonie des couleurs, sinuosité de l'écharpe, plumes de la coiffe) en suspendant la dimension psychologique. Le visage est proche d'un masque énigmatique, avec ses orbites sans regard et le graphisme noir qui en souligne les sourcils, le nez et la bouche — où il n'est pas interdit de déceler le souvenir d'œuvres africaines (Matisse fut, aux côtés de Derain, Vlaminck, Picasso ou Braque, un des premiers artistes occidentaux à en collectionner des exemples, sans en déduire toutefois aussi clairement que les cubistes de nouveaux modes de représentation).

Cette « abstraction » du visage, que Matisse retrouvera à la fin de sa carrière dans certains dessins et gouaches découpées, s'accompagne d'une impression de douceur intimiste, suscitée par la légère inclinaison de la tête, et cela malgré un chromatisme rigoureux et une pose quelque peu hiératique. C'est le dernier portrait — et sans doute le plus émouvant dans son mélange d'élan et de retenue — que Matisse a réalisé de son épouse.

24. NATURE MORTE AUX ORANGES, 1913.

Présente dans de nombreuses toiles depuis 1896, l'orange est pour Matisse le support de la couleur (c'est-à-dire de la surface et de la visualité), par opposition à ce qui privilégie le jeu des valeurs dont il a fait l'apprentissage en copiant Chardin ou David de Heem (pl. 1). Mais elle est aussi, pour reprendre l'expression de Pierre Schneider[*], « l'emblème botanique de l'Âge d'or », par ce qu'elle évoque de plénitude naturelle et de saveurs implicites.

Exécutée à Tanger, cette *Nature morte aux oranges* confirme que Matisse a retrouvé au Maroc un contact direct avec la nature elle-même, comme dispensatrice d'une opulence qui demande à être picturalement transposée : l'articulation des formes y est particulièrement subtile — jusque dans la fausse symétrie du rideau et de la porte vitrée — de même que la gamme des couleurs. On constate que la corbeille de fruits, quelque peu négligée dans le dessin au profit du tissu à grands motifs, prend dans la toile achevée une importance tout autre, obtenue aussi bien par le traitement beaucoup plus détaillé qui lui est réservé que par la remontée de la nappe à l'intérieur du format. Inversement, le dessin accordait au blanc qui l'entoure un rôle dynamique, qui sera dévolu sur la toile à l'élaboration allusive de l'espace.

Picasso, qui racheta cette composition, pendant la guerre, à une collectionneuse allemande, la considérait comme le plus précieux des Matisse en sa possession.

[*] *Matisse*, Flammarion, p. 463.

25. PORTE-FENÊTRE À COLLIOURE, 1914

D'une période particulièrement riche en travaux importants, cette toile est peut-être la plus surprenante — dans la mesure où elle peut d'abord sembler totalement « abstraite » (elle fut d'ailleurs saluée comme annonçant certains travaux minimalistes lors de son exposition aux Etats-Unis en 1966), puisque seulement constituée de verticales colorées. Pourtant, Matisse y maintient une profondeur dans la représentation, tant par les obliques du bas que par la différence de valeur du noir (d'où l'on déduit la présence d'un sol) ou par les stries de gauche, qui indiquent un volet.

Dans son état initial, la porte-fenêtre révélait un paysage extérieur, recouvert pendant l'ultime séance de travail d'un badigeon noir qui évoque l'éblouissement produit par une lumière excessive. (On peut rappeler à ce propos la formule d'Éliphas Lévi : « Le téméraire qui ose regarder le soleil sans ombre devient aveugle et alors pour lui le soleil est noir. ») Un tel aveuglement coïncide avec une tendance à la simplification particulièrement nette dans les œuvres des années de guerre. Il confirme surtout que la lumière la plus vive peut être rendue par son apparent contraire (cf. pl. 31). Cette inversion des valeurs, faisant de l'intérieur le lieu le plus clair, souligne que la porte-fenêtre introduit une différenciation — contrairement à *la Fenêtre bleue* de 1912 (pl. 21) — mais d'autre part la presque coïncidence du sujet avec le format de la toile réaffirme qu'il s'agit, non pas d'un paysage, mais bien d'un tableau.

26. VUE DE NOTRE-DAME, 1914.

Cette toile où apparaissent les lignes successives de la construction est sans doute la plus poussée de celles où Matisse entreprend de schématiser géométriquement son motif. Si le bord droit indique un montant de fenêtre, les deux horizontales et la verticale tronquée sont beaucoup plus ambiguës, alors même que leur présence, tout comme celle des deux obliques, est nécessaire pour faire équilibre à l'épure de la cathédrale, qui impose sa masse et sa lumière (même progressivement réduites) dans la partie supérieure du tableau.

La schématisation ne concerne pas seulement les formes, puisque la couleur est également réduite à un bleu répandu sur pratiquement toute la surface, indépendamment de toute vraisemblance.

Poussés à l'extrême, ces processus simplificateurs n'aboutiraient qu'à une esthétique d'affiche. Ce qui préserve au contraire l'émotion, c'est précisément la façon dont la fabrique reste inscrite dans le travail, tant dans les traits à demi effacés que dans les fonds clairs qui transparaissent sous le bleu, ou dans l'irrégularité des lignes finalement retenues : au lieu de livrer un tableau « amnésique », Matisse expose les états successifs de sa démarche, donnant au spectateur la possibilité d'en reconstituer les différents moments et de mieux en deviner les justifications.

La fenêtre suspendait *la Conversation* (pl. 18) en révélant le lieu où s'élabore la peinture en même temps que son point de départ dans la nature. Matisse l'a également expérimentée comme passage transparent entre l'extérieur et l'intérieur (pl. 21) ou, à l'inverse, comme zone d'aveuglement possible (pl. 25). Elle devient cette fois la métaphore la mieux appropriée de la peinture elle-même, exposant la dialectique particulière qui unit cette dernière à son prétexte naturel : s'il est vrai que la nature suscite la peinture, il l'est aussi que c'est grâce à celle-ci que seront dévoilées ses richesses les plus secrètes.

Ce qui se donne à voir dans *le Rideau jaune*, c'est le jardin de Clamart, ramené à quelques formes élémentaires. Mais c'est aussi la coïncidence presque complète entre la fenêtre et la toile elle-même : l'encadrement de l'une double les bords de l'autre, au point que, n'étaient le rideau et les deux traces horizontales d'un balcon effacé, on pourrait aisément les confondre. Toutes deux ont en effet pour Matisse le pouvoir essentiel d'introduire dans le champ perceptif et émotif une part de visible. Que celui-ci se trouve extrêmement épuré, cela indique à quel point la peinture a de surcroît la possibilité d'aller au-delà des apparences ordinaires en leur imposant ses propres lois, ou, si l'on préfère, jusqu'où peut aller l'élaboration picturale (culturelle) par rapport à un donné naturel. Pour Matisse, ce ne sera pas jusqu'à une complète non-figuration, même si ce *Rideau jaune* la frôle presque autant que la *Porte-fenêtre à Collioure*. On aurait tort, cependant, d'en déduire que pour qu'il y ait peinture, il suffit de répondre à la simple question : « Que peindre ? ». La vraie question, celle qui génère la peinture matissienne, est plus subtile : Comment élaborer jusqu'à un statut authentiquement pictural un objet (lieu, corps, visage...) privilégié sans briser totalement toute référence à ce qu'en perçoit le non-peintre ?

28. POISSONS ROUGES ET PALETTE, 1914-1915.

Témoignant assez discrètement de la phase « cubisante » (1914-1917) de Matisse, qui doit en effet, à cette époque, affronter très solitairement la dernière formule de l'avant-garde, *Poissons rouges et Palette* recense aussi des thèmes et des objets qui symbolisent sa démarche. C'est d'abord une vue d'atelier, où la présence du peintre, réduite au seul pouce passé dans la palette, devient fantomatique. C'est aussi la fenêtre — mais ouvrant sur un extérieur imprécis dans la mesure où l'atelier est par excellence le lieu où la peinture s'élabore de façon autonome. Ce sont les cyprins épurés en fuseaux, le bocal dont l'eau est simultanément opaque (le noir du fond n'y transparaît pas) et transparente (elle laisse voir poissons et feuilles vertes), les arabesques du balcon qui s'opposent aux diverses diagonales et à la large bande noire verticale.

En comparant cette toile avec les *Poissons rouges* de 1911 (pl. 20) on constate aisément que la charge émotive en est bien différente : s'en dégage une sensation d'oppression, confirmée par l'étouffement général des couleurs, malgré la clarté du bocal et de son environnement immédiat. Faut-il y voir une véritable influence de la peinture cubiste — réputée en effet pour son indifférence aux chatoiements de la couleur ? On peut tout aussi bien y trouver un écho de l'ambiance déprimante des années de guerre.

29. VARIATION SUR UNE NATURE MORTE D'APRÈS DAVID DE HEEM, 1915.

Quatrième variation importante sur le thème de la desserte (cf. pl. 1, 2, 13), cette toile qui, dans son style, rappelle la bonne volonté dont fit preuve en son temps *Luxe, Calme et Volupté* (pl. 5) à l'égard du divisionnisme, permet de préciser les limites que Matisse entend imposer à ses emprunts au cubisme, et témoigne sans doute des longues discussions qu'il eut avec Juan Gris à Collioure en 1914.

Une première comparaison avec la copie de 1893 du De Heem (pl. 1) montre un recadrage significatif du motif, accompagné d'un changement du format ; on constate par ailleurs que les objets de la nature morte initiale sont repris, à quelques exceptions près (un verre entre les deux aiguières disparaît, certaines dispositions locales sont allégées — d'une épluchure, de quelques feuillages ou fruits...). Mais il est notable que la construction « cubiste » par géométrisation n'intervient que dans l'espace qui entoure les objets eux-mêmes et ne concerne aucunement ces derniers, qui, au lieu d'être vus de tous les côtés comme l'exigerait l'orthodoxie picturale, ne présentent au spectateur que la face qui s'offre normalement à lui. Ainsi les verticales, obliques et courbes qui scandent le fond et les supports de la nature morte sont-elles seulement des exagérations des lignes suggérées par la disposition du décor, et il est très significatif qu'elles ne perturbent pas la lisibilité des objets (une diagonale frôle seulement le verre de droite, évitant soigneusement d'en brouiller la forme). Ce que Matisse retient (ou accepte) donc du cubisme, c'est ce qui va dans le sens de sa propre démarche : simplification des formes, complexité de la construction d'un espace, importance des aplats. Mais encore faut-il que la toile véhicule une émotion authentique — dont la géométrie ne sera jamais que le support, Matisse refusant vigoureusement d'en faire une fin en soi.

30. LA LEÇON DE PIANO, 1916.

Composition d'une austère monumentalité, *la Leçon de piano* a pour prétexte une scène intime : c'est en effet Pierre, le fils du peintre, qui est au piano. Mais la subtile complexité de la construction, la confusion ou les échanges entre l'art et la vie que Matisse établit de multiples façons dans son tableau, oblitèrent cette référence familiale (contrairement à *la Leçon de musique* de 1917, version détendue d'un thème proche et consacrée à l'exaltation, dans un style plus facile, du bonheur que vit la famille rassemblée). *La Leçon de piano* est d'abord une leçon de peinture, capable de juxtaposer sur une même surface la musique, la sculpture (*Figure décorative* de 1908) et elle-même par une représentation simplifiée de la *Femme au tabouret* de 1914, telle qu'elle paraît aussi bien ouvrir un espace en perspective (alors que celui de la fenêtre est inexistant) qu'intégrer la tête du jeune pianiste.

Malgré l'importance des verticales, la toile est structurée par une série de formes triangulaires qui se répondent : le métronome s'inverse sur le visage de Pierre, et la fenêtre agrandit à sa mesure ces deux premières découpes. Le piano lui-même est ramené à un volume simple, et il appartient aux arabesques du balcon et du porte-partition de contrebalancer ce travail géométrique qui, au lieu de prétendre révéler la nature intime des êtres et des choses comme c'est le cas dans le cubisme, organise l'espace pictural dans lequel êtres et choses peuvent trouver leur lieu, c'est-à-dire être disponibles au regard. Il est remarquable qu'une telle disponibilité — qui résulte de « la peinture » elle-même — n'accorde pas plus d'importance au pianiste qu'à la statuette ou à la femme peinte en abyme : l'art et la vie sont dotés de la même valeur, parce que seul le premier permet de retenir durablement certains aspects de la seconde.

31. LES MAROCAINS, 1916.

« Souvenir » du Maroc, mais peint pendant la guerre : comment la peinture peut-elle, en pleine tragédie collective, restituer un moment de bonheur ? En figurant des fragments du temps heureux sur fond de désastre : le noir morcelle l'image, il s'immisce entre les formes, enserre les motifs colorés — survivances inespérées d'autant plus précieuses que, malgré leur importance, on les devine sur le point d'être happées par l'ombre.

D'autre part, l'opposition des droites et des courbes apporte au tableau une tension, presque une rigidité qui témoigne à sa façon de l'effort accompli par Matisse pour peindre le bonheur malgré tout. En troisième lieu, la quasi-abstraction des figures, qui en autorise d'ailleurs des interprétations divergentes (là où Pierre Schneider voit un « jardin aux citrouilles », Raymond Escholier trouvait « à gauche, au premier plan, des Marocains en prière, coiffés d'orangé et vêtus de vert »), signale le caractère fugace — malgré leur décantation — des souvenirs heureux qui fournissent au peintre une occasion d'évoquer sur un mode particulièrement nostalgique la version de l'Âge d'or qu'il connut à Tanger.

Dans un univers en train de s'écrouler, l'héroïsme, pour la peinture, consisterait ainsi, en évoquant un proche passé, à préparer le retour du Paradis perdu.

32. LES DEMOISELLES À LA RIVIÈRE, 1916.

Version finale de ce qui devait être le troisième panneau destiné à Chtchoukine, complétant *la Danse* et *la Musique*, on retrouve l'Éden — mais un Éden perverti, comme l'indique la présence du serpent, au centre de la composition. Initialement, le tableau, élaboré à partir de 1909, avait été peint dans les mêmes couleurs (vert, bleu et rouge) que les deux autres panneaux, et il sera longuement travaillé, parallèlement aux sculptures *Dos I* et *Dos II*, avec lesquelles il partage monumentalité et tendance à l'« abstraction » dans le traitement du nu.

Le fond de la toile, qu'il s'agisse du feuillage stylisé ou des bandes parallèles, n'évoque aucun espace fictif : il sert seulement de support aux figures, elles-mêmes hiératiques, avec des cernes et des découpes locales qui produisent des effets de collage. L'anonymat des visages (pratiqué par Matisse dans la peinture en abyme de *la Leçon de piano*, pl. 30, et dont il fera ultérieurement un usage fréquent, cf. pl. 39 et 47) leur confère une qualité à la fois universelle et dramatique, qui répond parfaitement au schématisme sculptural des corps. La gamme sourde des couleurs (peut-être due, une fois encore, à l'ambiance des années de guerre) accentue la dramatisation : lorsque le monde profane se déchaîne en dehors de l'atelier, du Paradis évoqué par *la Danse* (pl. 15) ne subsistent que des ruines, témoignant de la chute.

33. AUGUSTE PELLERIN II, 1916.

Au cours de la Première Guerre mondiale, Matisse réalise de nombreux portraits, comme pour rassembler autour de lui une humanité menacée et conjurer l'inquiétude qu'il éprouve pour ses proches et ses amis.

Ce portrait d'Auguste Pellerin fut effectué, selon une habitude fréquente (cf. pl. 12, 15, 30, 39, 40) en deux versions — dont celle-ci est la moins réaliste, d'ailleurs exécutée sur un format plus étroit que l'autre, ce qui autorise la suppression de nombreux éléments (fauteuil et livres en arrière-plan, encrier devant le personnage) d'un décor dont ne subsiste, très modifié lui-même, que le tableau au mur, et rapproche le modèle, dès lors doté d'une présence particulièrement forte.

Le recours, une fois encore, au schématisme, accentue les traits d'un visage que le sombre quart de cercle occultant le tableau met en valeur, donne du buste et des mains une représentation vigoureuse et confère au regard (beaucoup plus doux dans l'autre version) une acuité paradoxalement obtenue par le traitement dissymétrique des yeux. Quant au bureau, il se résume à une surface pratiquement sans perspective.

Puisqu'en ces années difficiles il s'agissait de « faire front », on avancerait volontiers que la part belle faite ici à celui du modèle peut être due à un jeu de mots surdéterminé par la... frontalité de la peinture.

34. COUP DE SOLEIL, 1917.

Dans ses paysages, Matisse privilégie fréquemment les lieux en pente naturelle, qui lui permettent de faire remonter la ligne d'horizon jusqu'au bord supérieur du tableau pour tirer le motif vers le plan pictural. Lorsqu'il revient, à partir de 1917, à la représentation de la nature, ce n'est aucunement, comme le prouve surabondamment cette toile, en abandonnant ses exigences de construction géométrique.

Aussi ce *Coup de soleil* (qui semble d'ailleurs indiquer que Matisse a vu de la peinture futuriste) frôle-t-il une fois encore la non-figuration, tant le découpage des formes colorées (dont la gamme encore assourdie peut être comparée à celle des *Marocains*, pl. 31 ou des *Demoiselles à la rivière*, pl. 32) paraît d'abord peu évocateur d'un sous-bois et d'une allée — que seuls signalent deux arbres bien reconnaissables. Mais géométrie et tendance à l'abstraction se justifient ici par le thème, comme dans la *Porte-fenêtre à Collioure* (pl. 25) : elles sont déterminées par la franche opposition entre l'irruption brutale de la lumière sous les frondaisons et l'ombre qu'elle produit, l'éblouissement éventuel du regard trouvant sa transposition dans les interruptions de la couleur et le passage sans nuance de l'une à l'autre.

35. INTÉRIEUR AU VIOLON, 1917-1918.

Une première version de la toile présentait l'intérieur dans des tons suaves, des mauves et roses délicats. Mais Marguerite, la fille du peintre, aurait déclaré que « c'était joli » : Matisse reprit sans attendre son tableau pour y susciter la tension.

L'espace clos constitué par la pièce de travail (Matisse jouait volontiers du violon) est brisé par l'irruption de la lumière méditerranéenne et d'un monde extérieur qui réoriente la peinture vers un souci réaliste : le volet entrouvert détermine une oblique que prolonge la fenêtre en perspective et qui contrarie la frontalité de l'ensemble fauteuil-violon. L'espace illusionniste reprend partiellement ses droits, sollicité par la réalité d'un monde avec lequel la réconciliation est possible (la paix revient). Si le noir s'affirme encore massivement, ce n'est plus comme la couleur de la négation, mais dans sa nécessaire relation avec la lumière.

La fenêtre joue une fois encore son rôle de transition entre le monde de l'intimité et le paysage (palmier, sable, mer) : laissant passer la lumière, elle les met en communication. L'intime (le sentiment) et le visuel se fécondent mutuellement.

36. ODALISQUE AU PANTALON ROUGE, 1921.

Exemplaire de la série des odalisques de la première période niçoise, qui valurent à Matisse tant de critiques de la part de ceux qui n'y voyaient qu'une peinture sans ambition, cette toile montre comment la maîtrise complète du peintre dans l'élaboration de l'espace et le maniement du décoratif aboutit en réalité, par-delà la référence au corps féminin, à faire du tableau l'équivalent d'un théâtre mental dans lequel plans, couleurs et sujet s'organisent pour exalter la vie elle-même, offerte dans toute sa richesse visuelle.

Alors que le fond est découpé en plans rigoureux par rapport auxquels le divan réintroduit une franche perspective, les effets de modelé sont réservés au buste, le pantalon rouge retrouvant grâce à la position des jambes une quasi-frontalité, renforcée par la relation établie en jaune avec la paroi de gauche. Ainsi le tableau trouve-t-il son unité sensible ou sensuelle : les parties consacrées au décoratif sont équilibrées par le modelé de la chair, tandis que l'uniformité du sol offre à la gamme des couleurs, aux lignes sinueuses du corps et aux motifs répétés des paravents, toute chance de se déployer avec la plus grande efficacité.

37. FIGURE DÉCORATIVE SUR FOND ORNEMENTAL, 1925.

Par rapport à la précédente *Odalisque au pantalon rouge*, on note d'abord la disparition de toute zone de calme : la toile est un assemblage de motifs et d'objets décoratifs — d'ailleurs hétérogènes : le papier peint renvoie au baroque français, les tapis sont persans, le miroir rococo vénitien, le cache-pot extrême-oriental... Importe donc en priorité un effet d'accumulation par rapport auquel la plante et la figure ont du mal à s'inscrire dans un espace tridimensionnel et se trouvent plutôt soumis à la tentation de la bidimensionnalité. C'est donc en forçant l'attitude du nu par l'oblique de sa jambe droite, mais aussi en le rapprochant d'une sculpture (même s'il ne s'agit que de la représentation, sur une surface, d'une sculpture) par sa réduction à un jeu simplifié de volumes, que Matisse maintient, dans la partie inférieure de la toile, une perspective. Celle-ci, plus localement, réapparaît dès que le regard s'attache à la contiguïté entre les feuilles vertes et l'un des bouquets du papier. En revanche, si l'œil se détourne de la figure, tout redevient frontal, y compris le tapis qui peut alors se lire comme un simple motif oblique.

Cette ambiguïté donne à la toile toute sa force et en fait une véritable prouesse : le décoratif (deux dimensions) et le réalisme (trois dimensions) s'y équilibrent. Ainsi, on peut souligner l'absence de tout reflet dans le miroir et la complicité du bleu qui le couvre avec celui du papier peint : ce qui, traditionnellement, favorisait l'illusion perspectiviste, est ici tiré vers la planéité. Mais d'un autre côté, la figure sculpturale elle-même offre par la raideur inaccoutumée de son dos comme le déplacement d'un angle des murs, absent du fond. Ces échanges entre les deux tentations de la peinture génèrent, en plus de l'éblouissement visuel immédiat, une tension qui fait de ce tableau un incontestable chef-d'œuvre.

38. LA ROBE JAUNE, 1929-1931.

Peinte essentiellement en 1929 mais achevée deux ans plus tard, *la Robe jaune* témoigne du parti nouveau que Matisse tire des lignes dans sa peinture (alors que, parallèlement, il dessine beaucoup). Leur grande variété (obliques en zigzag, verticales, contours irréguliers du carrelage) diversifie la surface en zones qui font cortège à la figure centrale, dont la robe définit une dominante colorée, présente dans tout le tableau. Le volet entrouvert accompagne, paradoxalement, un intérieur voué à la clarté : la fenêtre assure cette fois la transition entre deux lumières égales, à l'extérieur et à l'intérieur.

La pose sereine du modèle, simplement inscrit au centre de la toile, est en harmonie avec l'atmosphère détendue et calme de la pièce. La maîtrise des couleurs est telle que les accords les plus risqués semblent aller de soi, et participent sans heurt à l'élaboration d'une peinture dont la facilité apparente masque les audaces réelles.

39. LA DANSE, 1931-1932.

La réapparition du thème de la danse (cf. pl. 9, 15, 22) à l'occasion de la commande pour la Fondation Barnes, dont c'est ici la première version, permet à Matisse de retrouver une évocation de l'Âge d'or. Mais comme il s'agit cette fois, non d'un tableau, mais de « peinture architecturale », il ne saurait être question de travailler dans la ligne des tableaux des années vingt : cette commande va accélérer l'évolution de l'œuvre, obligeant à simplifier les figures, à les universaliser pour fuir toute anecdote, « à tempérer, sinon exclure » ce que Matisse nomme « l'élément humain ». Ce qui signifie que l'émotion suscitée sera d'une nature inhabituelle en ce qu'elle ne touche plus des amateurs, mais le grand public. D'où l'absence de tout modelé et de la moindre allusion à la perspective, l'ambition de Matisse étant d'intégrer sa décoration au mur porteur comme si elle en avait toujours fait partie.

Une étude préparatoire au crayon révèle combien cette *Danse* fut d'abord une ronde, ultérieurement brisée pour ne laisser subsister que des corps démesurés (en les tronquant, Matisse invite le regard à les prolonger au-delà de la surface peinte) et soigneusement anonymes. Leur neutralité chromatique, et la façon dont seules quelques lignes en précisent les masses, augmentent encore leur dynamisme, par rapport à un fond où trois couleurs se répartissent des zones découpées en obliques. La monumentalité n'est pas tant affaire de dimensions réelles que de dimensions suggérées — du prolongement virtuel des corps et des triangles excédant tout format limité.

En 1935, Matisse accepte la commande d'un carton de tapisserie, reprenant un paysage de Tahiti qui avait été initialement photographié, puis dessiné plusieurs fois de la chambre de son hôtel, et avait déjà donné naissance, en 1931-32, à une eau-forte pour illustrer les *Poésies* de Mallarmé.

Dans sa première version à l'huile (musée Matisse, Nice), *Fenêtre à Tahiti* est particulièrement riche en arabesques (le rideau, les arbres) et joue du modelé dans la couleur, qu'il s'agisse de la mer ou des éléments végétaux. Mais la tapisserie réalisée déçoit tout particulièrement le peintre, qui décide d'exécuter une version plus propice à l'interprétation tissée. Cette seconde version à la gouache (musée du Cateau) est entièrement travaillée en

Fenêtre à Tahiti, 1936, Musée Matisse, le Cateau-Cambrésis.

aplats et présente des modifications importantes qui affirment — à l'exception du bateau, seul indice de perspective — une stricte bidimensionnalité : disparition de tout dégradé dans la couleur, remontée de l'horizon, simplification du dessin qui, en haut, fait des nuages et des monts, une masse unifiée, allègement du rideau et substitution d'un motif plan à son bouillonnement, épaississement de la bande désignant la terre et des balustres du balcon qui deviennent de simples découpes sans relief, changement dans la couleur de la bordure sur laquelle les fleurs de frangipanier ne sont plus soulignées de cernes noirs...

Alors que *Fenêtre I* allait encore dans le sens d'un certain réalisme, *Fenêtre II* affirme franchement les qualités d'une structuration par registres horizontaux, sur lesquels le motif acquiert sans doute, grâce aux couleurs pures, une intensité supérieure. Ses qualités décoratives lui confèrent une force qui préfigure celle que Matisse donnera bientôt à ses gouaches découpées.

41. GRAND NU COUCHÉ, 1935.

Comme *le Rêve* peint la même année, ce *Grand nu couché* paraît d'abord d'une extrême simplicité, et l'on pourrait être tenté d'admettre que sa composition a été rapidement trouvée. En fait, il n'en est rien : les photographies des états successifs de la toile* — dont l'exécution, entrecoupée d'études au fusain, a pris plus de cinq mois — montrent qu'elle fut l'objet de nombreux remaniements, dont elle garde d'ailleurs quelques traces. La version initiale était encore relativement réaliste, accordant un certain modelé au corps et détaillant les éléments du décor (le bouquet et le dossier de chaise, finalement réduits à des formes très allusives). L'étoffe à carreaux ne fait son apparition que progressivement (et d'abord en oblique). La position de la tête a plusieurs fois changé, de même que l'importance relative des différentes parties du corps, d'abord soumis à un effet de torsion qui n'existe plus dans l'état définitif de la toile.

Tout ce travail, qui va globalement dans le sens de la simplification, finit par offrir du corps féminin une forme-signe débarrassée de toute anecdote. Une telle forme échappe à l'arbitraire dans la mesure où elle est le fruit d'une évolution cohérente : elle emporte l'adhésion du spectateur parce que, de tous les essais qui l'ont précédée, le peintre l'a retenue comme la seule possible dans l'ensemble de sa composition.

* Publiées dans l'ouvrage de Lydia Delectorskaya : *l'apparente facilité... Henri Matisse* (Adrien Maeght, 1986), p. 63 sqq.

42. LA VERDURE. NYMPHE DANS LA FORÊT, 1935-1943.

Le thème de cette composition provient du rapprochement de deux éléments : un sous-bois à l'eau-forte de 1931 (pour les *Poésies* de Mallarmé) et les esquisses d'une *Nymphe endormie* réalisées en mai et juin 1935. En septembre 1935, la toile est longuement travaillée au fusain, la couleur n'intervenant que quelques mois plus tard. Matisse s'aperçoit alors qu'il reste « dans la gamme des couleurs néo-impressionnistes » et qu'en fait son dessin obéissait à lui seul au but de sa peinture : « donner une qualité nouvelle, précieuse et variée, à la surface ».

La toile sera néanmoins exposée en mai 1936 à la galerie Rosenberg : elle est à l'époque entourée d'une bordure où se répète un motif de guirlande. Dès le mois d'août, Matisse la reprend, et il y reviendra ensuite périodiquement, lui apportant des modifications très importantes : apparition du tronc d'arbre central et raccourcissement du ruisseau, effacement relatif des deux figures et même, plus généralement, de toutes les formes qui étaient initialement cernées, neutralisation de la bordure sur laquelle apparaissent, à gauche, quatre fleurs de frangipanier (cf. *Fenêtre à Tahiti*, pl. 40).

Cette bordure fait finalement office de cadre, de fenêtre à travers laquelle la scène est saisie, l'action du satyre indéfiniment suspendue. Il n'est pas indifférent de remarquer que le recours à la mythologie — favorisé par les illustrations récentes pour Mallarmé et Joyce — coïncide partiellement, « par la bande », avec Tahiti : les deux versions de l'Âge d'or se rejoignent, mais semblent également perdre de leur vivacité. Non-peint et peint coopèrent pour élaborer un spectacle, mais il reste imprécis, comme nimbé d'un brouillard onirique.

43. LA BLOUSE ROUMAINE, 1940.

Comme le *Grand nu couché* (pl. 41), cette toile, peut-être la plus connue de Matisse tant elle a été reproduite, résulte d'un intense travail de simplification et de réduction à un ensemble de signes (visage, blouse, broderies) qui s'est étendu sur neuf mois. Le point de départ était riche d'un décor floral à grand motif et la figure était assise sur le bout d'un canapé ; elle occupait de surcroît une surface plus modeste par rapport au format de la toile.

C'est par une exagération des emmanchures que le modèle investit toute la surface, acquérant une plénitude formelle qui le hisse au rang d'un véritable archétype. Les broderies peuvent alors être réduites (la toile a connu des états où elles s'étalaient sur toute la largeur des manches) parce que leur évocation, même lacunaire, acquiert d'autant plus de force qu'elle se distingue des aplats du fond rouge et de la jupe bleue. De façon comparable, quelques traits suffisent à indiquer coiffure et visage. Quant au déhanchement de la figure, initialement justifié par sa position assise, il devient purement synonyme de la grâce, d'une façon d'occuper un espace propre de la manière la plus adéquate possible.

« J'ai travaillé des années, confiait Matisse, pour qu'on dise : Matisse ce n'est que ça !... ». Le « que ça », terme de l'épuration du motif, n'est que l'autre nom d'une plénitude qui comble le regard.

44. INTÉRIEUR JAUNE ET BLEU, 1946.

L'équilibre entre les zones colorées, la majesté du dessin et l'harmonie de cette toile lui donnent une telle force que ses audaces sont admises sans être nécessairement perçues. Rien n'y est pourtant « normal », du point de vue d'une figuration soucieuse de réalisme : le rectangle bleu du bas est d'une frontalité complète (au point qu'on peut l'interpréter comme désignant un tableau appuyé contre la table) alors que table et fauteuil indiquent une perspective, qui disparaît en revanche au fond de la pièce où la sellette et le graphisme sur fond bleu (lointainement dérivé d'une toile de Jouy) réaffirment la frontalité. La couleur gagne tout l'espace disponible, mais seuls quelques objets (vase, citrons, pastèques) la justifient très localement. Les meubles eux-mêmes ne sont traités qu'en transparence, comme immatériels (la table qui a servi de modèle avait un plateau en marbre) au point que le fauteuil rocaille, qui prend ici des allures de petit marquis peu conformes aux représentations qu'en donnera par ailleurs Matisse (cf. pl. 45), devient, en raison de sa seule situation, bicolore. Enfin l'éclairage de la pièce, dans laquelle Matisse répète comme par un double défi la forme quadrangulaire de la toile elle-même pour mieux lui opposer la liberté des courbes qu'il y inscrit, n'a plus aucun besoin d'être précisé : c'est la couleur elle-même qui produit la lumière spécifique du tableau.

L'*Intérieur jaune et bleu* inaugure un ensemble de toiles (1946-1948) dans lesquelles Matisse règle le conflit de la couleur et du dessin en leur offrant la possibilité d'échanger leurs fonctions traditionnelles : c'est ici dans un espace déjà saturé de couleur que les traits noirs silhouettent des objets qui dès lors sont immédiatement en accord avec ce qui les sépare. La surface de la toile, travaillée avec une matière légère, devient un continuum où les différents signes et éléments plastiques coexistent pacifiquement.

45 · FAUTEUIL ROCAILLE, 1946.

En avril 1942, Matisse écrit à Aragon qu'il a « enfin trouvé objet désiré depuis un an. C'est une chaise en baroque vénitien en argent teinté au vernis. Comme un émail... Quand je l'ai rencontré chez un antiquaire il y a qq semaines j'ai été complètement retourné. Il est splendide, j'en suis habité »*. De son enthousiasme devant cet objet qui vient s'ajouter à quelques autres (dont des sièges) privilégiés depuis de longues années et que l'on retrouve de toile en toile, témoignent immédiatement des dessins, et, plus poussée, une esquisse à l'huile de 1942. Daans cette dernière, le fauteuil est entièrement figuré, en perspective sur un sol carrelé, quelques fruits et un vase en garnissant le siège.

La toile de 1946 lui reconnaît une majesté bien différente : en quatre ans, l'objet a fait son chemin dans l'imaginaire et la sensibilité du peintre. Aussi sa forme générale déborde-t-elle la surface qui lui est allouée, comme si la noblesse que lui attribue Matisse ne se prêtait que partiellement à la représentation. On peut reconnaître dans cet excès du motif par rapport à l'appréhension picturale l'indice de sa sacralisation — mais aussi la justification, à trente-huit ans de distance, de la comparaison « scandaleuse » de 1908 (cf. déjà pl. 22) ; il apparaît que l'art n'est plus même « analogue à un bon fauteuil » puisque la peinture, cette fois, est un fauteuil — en même temps qu'une harmonie colorée, un jeu souverain d'arabesques et l'évocation d'un bouquet, tous résultant d'une matière assez légère pour laisser voir la toile-support, et tous également capables de révéler, dans leur facture, les gestes qui les ont produits.

* *In Henri Matisse, roman*, tome I, p. 211.

46. NATURE MORTE AUX GRENADES, 1947.

Dans la représentation sans perspective que privilégie à peu près systématiquement Matisse à partir de 1946, la fenêtre, lorsqu'elle est présente, n'introduit plus une différence de profondeur entre l'intérieur et l'extérieur. L'opposition entre les deux espaces doit dès lors se marquer par d'autres moyens, comme ce tableau le démontre. Ce sera par la couleur (rouge-jaune-noir pour l'intérieur, vert-bleu-blanc pur l'extérieur) autant que par sa répartition en fonction des formes : aplats des murs et de la table, cercles des fruits et triangles du rideau s'opposent au graphisme vert, dénué de surface, des feuilles de palmier.

L'étroit volet rouge vient confirmer l'existence de la fenêtre : en son absence, le rectangle clair s'interpréterait aisément comme une toile accrochée au mur. Lu comme fenêtre, il signale la vive lumière du dehors. Mais ce n'est pas elle qui justifie les murs sombres (présents dans d'autres toiles de la même période) : dans la bidimensionnalité de la toile, la lumière ne produit pas d'ombres et les couleurs sont choisies uniquement pour des raisons d'harmonie interne à la surface.

La peinture ne maintient avec son prétexte que des liens très lâches : dégagée de l'illusionnisme, elle acquiert une portée authentiquement métaphysique. Selon la célèbre formule de Klee*, elle « rend visible », c'est-à-dire offre au regard l'occasion de se repaître de formes et de couleurs qui sont une genèse des choses, le matin d'un univers débarrassé de toute scorie.

* Que Matisse, dans une lettre à Bonnard du 17 octobre 1940, qualifie de peintre « d'une rare sensibilité ».

47. NU BLEU IV, 1952.

Parmi les gouaches découpées, la série des quatre *Nus bleus* de 1952 occupe une place privilégiée — tant à cause de la quasi-monochromie qui y est exaltée qu'en raison de la plénitude formelle du signe dont l'ensemble présente les variantes : une même posture du corps féminin, la jambe gauche pliée, le pied pris dans le compas du genou droit, le bras droit replié jusqu'à effleurer ou toucher la nuque, la tête plus ou moins inclinée. Quant à la position des jambes, elle peut être déduite d'une rotation à quatre-vingt-dix degrés de celles de la *Figure décorative* de 1925 (pl. 37).

Le *Nu bleu IV* résulte lui-même d'une longue suite d'essais dont témoignent des photographies, ainsi que les nombreux traits de fusain inscrits sur le support, son état final offrant de l'articulation des membres une image particulièrement souple, vu l'importance qu'y a le blanc.

Une fois rappelé que, pour Matisse, découper le papier gouaché, c'est travailler directement une couleur-matière, on notera que les formes sont obtenues par juxtaposition et superposition de fragments (il en faut ici onze pour constituer la seule cuisse gauche) dont rares sont finalement ceux qui, isolés, suffiraient à définir un contour reconnaissable. De plus, la couleur bleue n'est pas elle-même uniforme, mais présente au moins trois valeurs : c'est dire combien le déplacement, l'ajustement progressif des fragments pouvait évoquer pour Matisse un travail direct sur l'espace de la représentation, en effet comparable à celui de la sculpture alors même que l'image reste strictement bidimensionnelle.

Art complet où se rejoignent les expériences sensibles et intellectuelles du dessinateur, du coloriste, du sculpteur et du « peintre architectural » de *la Danse* de Merion (pl. 39), la pratique des gouaches découpées ne pouvait apparaître à Matisse que comme l'aboutissement de sa carrière. Le décoratif y affirme sa noblesse la moins contestable et produit un effet de monumentalité indépendant du format réel : la figure y devient hors-mesure.

48. SOUVENIR D'OCÉANIE, 1952-1953.

Les éléments (feuilles, vagues, fleurs...) évoquant l'Océanie ne sont pas rares dans les grandes compositions en gouaches découpées. Celle-ci est entièrement consacrée au « souvenir », particulièrement allusif, d'une plage océanienne : épuré, transfiguré par plus de vingt ans de méditation, il frôle l'abstraction. On arrive toutefois encore à reconnaître, dans la partie droite de la composition, l'avant d'une pirogue et la courbe caractéristique d'un tronc de palmier, cependant qu'à gauche la découpe jaune signale une végétation. Ces quelques repères suffisent, avec l'aide de légers traits au fusain, pour proposer un sens à l'ensemble — qui est en priorité articulation de formes colorées, disposées avec une précision telle que le moindre déplacement d'une surface en briserait l'harmonie.

Il n'existe plus, à proprement parler, de « fond » dans ce *Souvenir d'Océanie* : le blanc est aussi actif que les couleurs, qui semblent en émaner spontanément. C'est que Matisse, à la fin de son œuvre, révèle dans l'espace la possibilité d'un déploiement visuel et sensible qui vient combler le spectateur, le ravir et le « délasser » : toute référence aux formes anciennes de l'art a disparu, le monde que constitue la peinture est aussi pur qu'une atmosphère d'après l'orage, éclairée par un soleil inespéré.

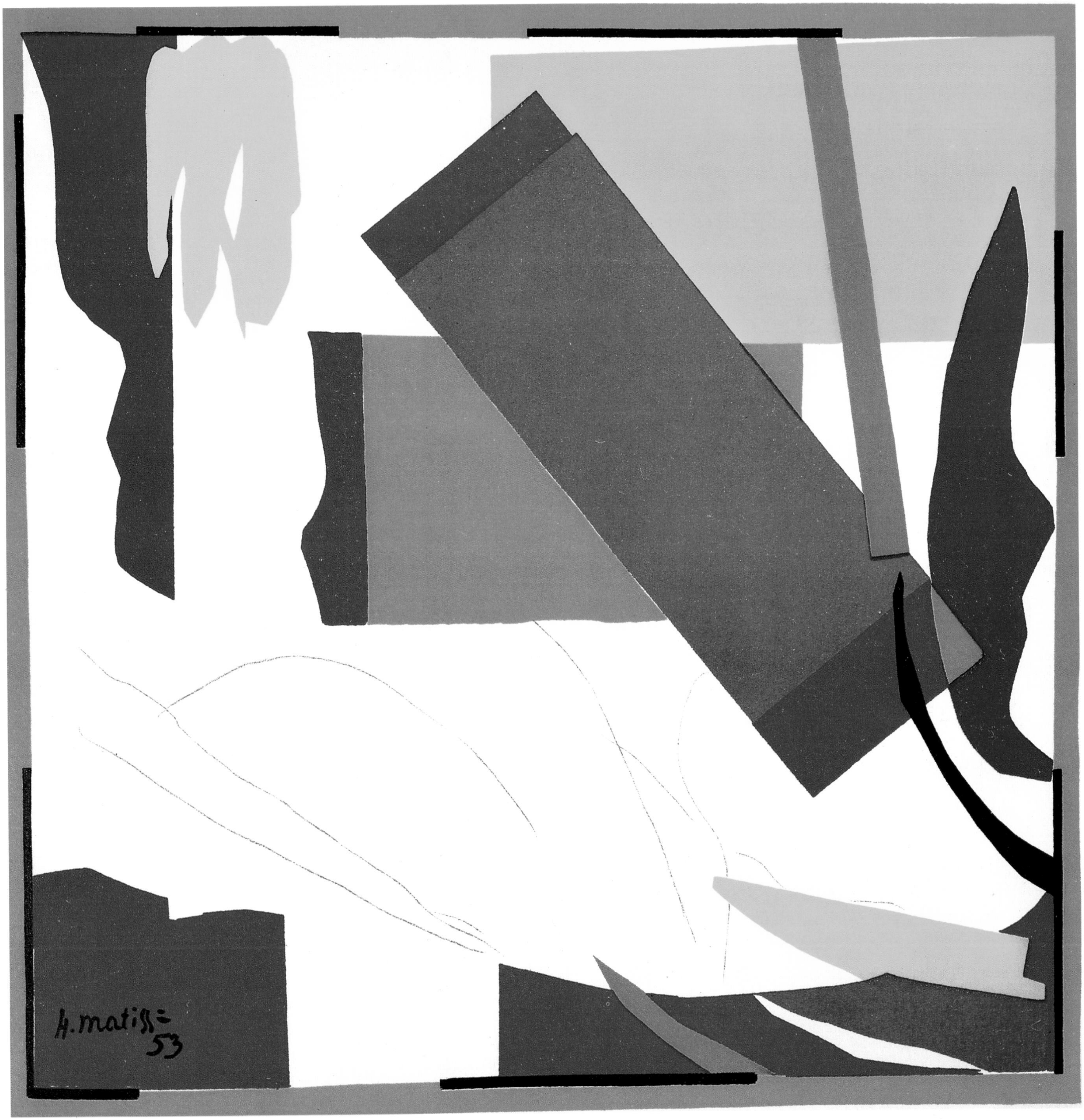
H. matisse
53

SÉLECTION BIBLIOGRAPHIQUE

Écrits de Matisse

Écrits et Propos sur l'Art, édition annotée par Dominique Fourcade, Paris, Hermann, collection Savoir, 1972.
Correspondance Matisse-Bonnard, *Nouvelle Revue Française*, numéros 211 et 212, juillet et août 1970.
Correspondance Matisse-Camoin, *Revue de l'Art*, n° 12, 1971.

Écrits sur Matisse

Louis ARAGON, *Henri Matisse, roman*, Paris, Gallimard, 1971.
Alfred BARR, *Matisse, his Art and his Public*, New York, Museum of Modern Art, 1951.
Cahiers Henri Matisse, publiés par le musée Henri Matisse de Nice ; 5 volumes parus (1 : « Matisse et Tahiti » ; 2 : « Matisse, photographies » ; 3 : « Matisse, l'art du livre » ; 4 : « Matisse, Ajaccio, Toulouse » ; 5 : « Matisse, aujourd'hui »).
Collectifs :
Hommage à Henri Matisse, Paris, XXᵉ siècle, 1970.
Nouvelle Revue Française n° 211, juillet 1970, Paris, Gallimard.
Critique n° 234, mai 1974, Paris, éditions de Minuit.
Henri Matisse, Paper Cut-Outs, the Saint Louis Museum and the Detroit Institute of Arts, 1977.
Tout l'œuvre peint de Henri Matisse, 1904-1928, Paris, Flammarion, 1982.
Lydia DELECTORSKAYA, *l'Apparente facilité... Henri Matisse*, Paris, Adrien Maeght, 1986.
Raymond ESCHOLIER, *Matisse, ce vivant*, Paris, librairie A. Fayard, 1956.
Jean-Louis FERRIER, *Matisse, 1911-1930*, Paris, Fernand Hazan, 1961.
Jack FLAM, *Matisse, the man and his Art*, 1869-1918, Cornell University Press, Ithaca and London, 1986.
Jean GUICHARD-MEILI, *Matisse, les gouaches découpées*, Paris, Fernand Hazan, 1983. *Henri Matisse*, Paris, Somogy, 1986.
Bernard NOËL, *Matisse*, Paris, Fernand Hazan, collection « les Maîtres de l'Art », 1987.
Marcelin PLEYNET, « Le système de Matisse », *in l'Enseignement de la peinture*, Paris, éditions du Seuil, 1971. *Qui êtes-vous ? Henri Matisse*, Lyon, La Manufacture, 1988.
Pierre SCHNEIDER, *Matisse*, Paris, Flammarion, 1984.
André VERDET, *Prestiges de Matisse*, Paris, éditions Émile-Paul, 1952.

Principaux catalogues

« Henri Matisse, les grandes gouaches découpées », Paris, musée des Arts décoratifs, 1961.
« Henri Matisse. Rétrospective », Los Angeles, University of California Press, 1966.
« Henri Matisse. Exposition du centenaire », Paris, Grand Palais, 1970.
« Matisse. Catalogue des collections du Musée national d'art moderne », Paris, Centre Georges-Pompidou, 1979.
« Matisse. Peintures et dessins du musée Pouchkine et du musée de l'Ermitage », Lille, musée des Beaux-Arts, 1986.
« Matisse. Le rythme et la ligne », Paris, École nationale supérieure des Beaux-Arts, 1987.
« Henri Matisse. Autoportraits », Le Cateau, musée Matisse, 1988.
« Dessins, collection du Musée Matisse », Nantes, Nîmes, Saint-Étienne, 1989.
« Dessins de la donation Matisse », Musée Matisse, le Cateau-Cambrésis, 1989.

CHRONOLOGIE

1869
Henri Matisse naît le 31 décembre, au Cateau-Cambrésis (Nord). Il passe son enfance en Picardie, à Bohain.
1883-87
Élève au lycée de Saint-Quentin.
1887-88
Études de droit à Paris. Revient à Saint-Quentin, comme clerc d'avoué. Il y suit des cours de dessin appliqué.
1890
Au cours d'une longue convalescence, commence à peindre en copiant les chromos d'une boîte de couleurs offerte par sa mère.
1891-94
S'inscrit à l'académie Julian à Paris, puis suit l'enseignement de Gustave Moreau dans son atelier des Beaux-Arts : il y rencontre Marquet et Manguin. Va souvent copier au Louvre.
1895.
Vit au 19, quai Saint-Michel. Premier voyage en Bretagne.
1896
Participe au Salon de la Société nationale des Beaux-Arts. Second voyage en Bretagne : il y découvre Van Gogh grâce à Russell.
1897
Troisième voyage en Bretagne. Réception difficile de *la Desserte* au Salon. Rencontre Pissarro et Camoin.
1898
Reconnait sa fille Marguerite, née quatre ans plus tôt. Mariage avec Amélie Parayre ; voyage de noces à Londres, où il étudie Turner. Découverte du Sud et de sa lumière (Corse, Toulouse, région de Perpignan). Mort de Gustave Moreau.
1899
Naissance de son premier fils, Jean. Achète chez le marchand Vollard un Cézanne dont il ne se séparera qu'en 1937 (*Trois Baigneuses*), un plâtre de Rodin, un dessin de Van Gogh et une petite toile de Gauguin. Continue la peinture de plein air, entamée en Bretagne, à Paris et Arcueil. Le soir, suit des cours de sculpture.
1900
Naissance de son second fils, Pierre. Pour faire vivre sa famille, participe avec Marquet à la décoration du Grand Palais pour l'Exposition universelle.
1901
Expose au Salon des Indépendants. Fait la connaissance de Vlaminck par l'intermédiaire de Derain.
1902
Sans argent, retourne vivre à Bohain, chez ses parents, avec sa femme et ses trois enfants. Participe chez Berthe Weill — qui vend son premier tableau — à une exposition d'anciens élèves de Gustave Moreau.
1903
Expose chez Berthe Weill, aux Indépendants et au premier Salon d'automne. Premières gravures et sculpture *le Serf*.
1904
Première exposition personnelle chez Vollard. Passe l'été à Saint-Tropez avec Signac : il y rencontre Félix Fénéon.
1905
Expose *Luxe, Calme et Volupté* aux Indépendants : la toile est acquise par Signac. Été à Collioure. Il y rencontre Maillol et Daniel de Monfreid, grâce auquel il comprend mieux Gauguin. Au Salon d'automne, scandale de la « Cage aux Fauves ».
1906
Exposition personnelle (55 toiles) chez Druet. N'expose aux Indépendants que *la Joie de vivre*. Voyage en Algérie. Séjour à Collioure. Découvre l'« art nègre ». Rencontre Picasso chez les Stein.

1907

Article d'Apollinaire dans *la Phalange*. Aux Indépendants, le *Nu bleu*. Premier voyage en Italie, puis séjour à Collioure. Expose *le Luxe I* au Salon d'automne.

1908

Première exposition à New York. Publie ses *Notes d'un peintre* dans *la Grande Revue*.

1909

Loue à Issy-les-Moulineaux une grande maison, dont il devient propriétaire trois ans plus tard. Premier contrat à la galerie Bernheim-Jeune grâce à Fénéon.

1910

Première rétrospective chez Bernheim-Jeune. A Munich, visite l'exposition d'art musulman. Au Salon d'automne, expose la deuxième version de *la Danse* et *la Musique*.

1911

Travaille à Séville, puis retour au printemps à Issy (*l'Atelier rouge*), ensuite à Collioure. Voyage à Moscou, où il s'intéresse aux icônes. Voyage à Tanger jusqu'au printemps 1912.

1913

Participe, aux États-Unis, à l'Armory Show à Chicago, le *Nu bleu* de 1907 fait scandale. Peintures marocaines chez Bernheim-Jeune : Morosov acquiert le *Triptyque marocain*. Reprend un atelier quai Saint-Michel.

1914

Été à Collioure (*Porte-Fenêtre à Collioure*) ; rencontre Juan Gris.

1916

Paris et Issy (*les Marocains*, *la Leçon de piano*). Premier séjour à Nice, hôtel Beau Rivage.

1918

Exposition Matisse-Picasso chez Paul Guillaume (préface d'Apollinaire). Loue un appartement à Nice.

1920

Décors et costumes pour *le Chant du Rossignol*, de Stravinsky et Massine monté par les Ballets russes de Diaghilev.

1921

Partage désormais sa vie entre Paris et Nice. Achat de l'*Odalisque au pantalon rouge* par le musée du Luxembourg.

1922

Madame et Marguerite Matisse font don de l'*Intérieur aux aubergines* au musée de Grenoble.

1923

Legs Marcel Sembat au musée de Grenoble. A Moscou, fondation du Musée d'art moderne occidental avec les collections de Chtchoukine et Morosov.

1925

Voyage en Italie (Naples et la Sicile).

1927

Reçoit le Prix Carnegie.

1930

Achève *Dos IV*. Voyage à Tahiti, *via* New York et San Francisco. Juré au Prix Carnegie (attribué à Picasso). A la fin de l'année, retourne aux États-Unis : le Dr Barnes lui commande une grande décoration pour sa Fondation.

1931

Rétrospectives à Paris, Bâle et New York. Travaille à l'illustration des *Poésies* de Mallarmé et à *la Danse* pour Barnes.

1933

Voyage à Mérion pour superviser la mise en place de *la Danse*.

1934

Exposition chez son fils Pierre à New York.

1935

Cartons pour tapisserie (*Fenêtre à Tahiti*). Début de la collaboration avec Lydia Delectorskaya.

1937

Exposition chez Rosenberg. Commande par Massine des décors et costumes pour le ballet *Rouge et Noir*. Le musée de la Ville de Paris acquiert la première version de *la Danse* de Barnes.

1938

Le musée du Luxembourg achète la *Figure décorative sur fond ornemental* de 1925. S'installe dans l'ancien Hôtel Regina à Cimiez.

1939

Été à l'Hôtel Lutetia, à Paris. Retour à Nice en octobre.

1940

Part pour Bordeaux lors de la « débâcle » qui le surprend à Paris. Renonce à un voyage au Brésil. Retour à Nice en octobre. *La Blouse roumaine*.

1941

En janvier, grave opération à Lyon : Matisse s'en remet, surnommé « le Ressuscité » par les religieuses de la clinique. A Nice, recommence à peindre de son lit.

1942

Visites d'Aragon à Cimiez. Nombreux dessins : *Thèmes et Variations*. A la radio, attaque l'académisme ambiant. Illustrations pour les *Poèmes* de Charles d'Orléans.

1943

Installation à Vence, villa « le Rêve ».

1944

Commence les gouaches découpées qui deviendront *Jazz*. Illustrations pour *les Fleurs du mal*.

1945

Expose à Londres avec Picasso. Rétrospective au Salon d'automne. Toiles récentes, accompagnées de leurs différents états photographiés, chez Aimé Maeght.

1946

Illustrations pour les *Lettres d'une religieuse portugaise* et *Visages* de Reverdy.

1947

Parution de *Jazz* chez Tériade. Entrée d'œuvres importantes au récent Musée national d'art moderne.

1948

Parution du *Florilège des Amours de Ronsard*, illustré de 128 lithographies. Travaille au projet de la chapelle de Vence et à de grandes gouaches découpées.

1949

Réinstallation à l'Hôtel Regina. Expositions à New York, Paris (Musée national d'art moderne) et Lucerne (rétrospective).

1950

Parution des *Poèmes* de Charles d'Orléans. Lauréat de la XXVᵉ Biennale de Venise, partage le prix avec Henri Laurens.

1951

Inauguration de la chapelle de Vence. Gouaches découpées, mais aussi retour au tableau, abandonné depuis trois ans.

1952

Inauguration du musée Matisse au Cateau : le choix et la présentation initiale des œuvres sont dus au peintre. Série des *Nus bleus* en gouaches découpées.

1953

Exposition de papiers découpés chez Berggruen.

1954

Matisse meurt d'une crise cardiaque le 3 novembre.

TABLE DES ILLUSTRATIONS

103 : *La leçon de piano*, 1916, huile sur toile, 245,1×212,7 cm.
The Museum of Modern Art, New York.

105 : *Les Marocains*, 1916, huile sur toile, 181,3×279,4 cm.
The Museum of Modern Art, New York.

107 : *Les Demoiselles à la rivière*, 1916, huile sur toile,
261,8×391,4 cm. The Art Institute of Chicago.

109 : *Auguste Pellerin II*, 1916, huile sur toile, 150,2×92,6 cm.
Musée national d'art moderne, Paris.

111 : *Coup de soleil*, 1917, huile sur toile, 91×74 cm.
Collection privée.

113 : *Intérieur au violon*, 1917-1918, huile sur toile, 116×89 cm.
Statens Museum for Kunst, Copenhague.

115 : *Odalisque au pantalon rouge*, 1921, huile sur toile, 65×90 cm.
Musée national d'art moderne, Paris.

117 : *Figure décorative sur fond ornemental*, 1925, huile sur toile,
131×98 cm. Musée national d'art moderne, Paris.

119 : *La Robe jaune*, 1929-1931, huile sur toile, 100×81 cm.
The Baltimore Museum of Art.

121 : *La Danse*, 1931-1932, huile sur toile, 340×391 cm,
355×498 cm, 333×391 cm. Musée d'art moderne de la Ville de
Paris.

122 : *Fenêtre à Tahiti*, 1936, gouache sur toile, 238×185 cm.
Musée Matisse, Le Cateau-Cambrésis.

123 : *Fenêtre à Tahiti*, Nice, 1935-1936, huile sur toile,
225×172 cm. Musée Matisse, Nice.

125 : *Grand Nu couché*, 1935, huile sur toile, 66×92,7 cm.
The Baltimore Museum of Art.

127 : *La Verdure* ou *Nymphe dans la forêt*, 1935-1943, huile sur toile,
245×195 cm. Musée Matisse, Nice.

129 : *La Blouse roumaine*, 1940, huile sur toile, 92×73 cm.
Musée national d'art moderne, Paris.

131 : *Intérieur jaune et bleu*, 1946, huile sur toile, 116×81 cm.
Musée national d'art moderne, Paris.

133 : *Fauteuil rocaille*, 1946, huile sur toile, 92×73 cm.
Musée Matisse, Nice.

135 : *Nature morte aux grenades*, Vence, 1947, huile sur toile,
80,5×60 cm. Musée Matisse, Nice.

137 : *Nu bleu IV*, 1952, gouache découpée, 103×74 cm.
Musée Matisse, Nice. Don de Jean Matisse, dépôt de l'Etat.

139 : *Souvenir d'Océanie*, 1952-1953, gouache découpée,
284,4×286,4 cm. The Museum of Modern Art, New York.
Fonds Mrs Simon Guggenheim.

CRÉDITS PHOTOGRAPHIQUES